Becos da Memória

Becos da Memória
Conceição Evaristo

Rio de Janeiro • 2024
3ª ed. • 9ª reimpressão

copyright © 2017
Conceição Evaristo

editoras
Cristina Fernandes Warth
Mariana Warth

coordenação de produção,
projeto gráfico e capa
Daniel Viana

preparação de originais
Eneida D. Gaspar

revisão
Léia Coelho

imagem de capa
Acervo da autora

Este livro segue as novas regras do Acordo Ortográfico da Língua Portuguesa.

Todos os direitos reservados à Pallas Editora e Distribuidora Ltda. É vetada a reprodução por qualquer meio mecânico, eletrônico, xerográfico etc., sem a permissão por escrito da editora, de parte ou totalidade do material escrito.

Dados Internacionais de Catalogação na Publicação (CIP)
Angélica Ilacqua CRB-8/7057

E94b

Evaristo, Conceição, 1946-
   Becos da memória / Conceição Evaristo. -- 3. ed. -- Rio de Janeiro : Pallas, 2017.
   200 p. ; 21 cm.

ISBN: 978-85-347-0520-2

1. Literatura brasileira 2. Literatura brasileira - Escritores negros 3. Romance brasileiro I. Título

17-1975

CDD 869.3
CDU 821.134.3(81)-3

Pallas Editora e Distribuidora Ltda.
Rua Frederico de Albuquerque, 56 – Higienópolis
CEP 21050-840 – Rio de Janeiro – RJ
Tel.: 21 2270-0186
www.pallaseditora.com.br
pallas@pallaseditora.com.br

In memoriam

Ao Oswaldo, saudoso companheiro meu, que, compartilhando comigo os cuidados necessários para a sobrevivência de Ainá, nossa filha, minha especial menina, testemunhou a escrita do original de *Becos*. Ele tomou o rumo da derradeira viagem, muito tempo antes de o livro ser editado.

Aos de minha família, tio e tias, ancestrais profundamente inscritos em minha memória:

Tio Oswaldo Catarino Evaristo, dele as minhas primeiras lições de negritude.

Tia Adélia, a que, sonhando ser professora, dizia ter uma escola particular em sua pobre casa.

Velha Lia, minha tia-mãe, a que me criou, mulher de palavra e da palavra, a quem devo tantas histórias.

Laurinda, dessa minha tia, a lembrança do natal mais doce de minha infância. Uma longa bala e uma minúscula maquininha de costura de plástico, presentes enrolados em celofanes coloridos.

AGRADECIMENTOS

Repito os meus agradecimentos ao entregar esta 3ª edição de *Becos da memória* ao público leitor e relembro os vinte anos de espera, depois de frustradas buscas para publicação, em que os originais do livro ficaram guardados na "gaveta do esquecimento". Trago essa lembrança da "longa espera" para celebrar em profundidade e afirmar o nosso direito à festa de *Becos*, desde a 1ª edição, em 2006, pela Mazza Editora. Repetimos os festejos pela 2ª edição, em 2013, pela Editora Mulheres. Em 2016, "la folie" foi proporcionada pela editora Anacaona, com a tradução da obra para a língua francesa. Hoje, a festa da 3ª edição é proporcionada pela Pallas Editora. *Becos da memória* volta ao público leitor, graças ao empenho da Pallas, que tem investido em outras obras de minha autoria.

Meus agradecimentos às editoras e ao público leitor, que têm transitado comigo pelos *Becos da memória*. Uma gama imensa de pessoas: leitoras, leitores, pesquisadoras, pesquisadores que vêm acolhendo e divulgando o livro. Entretanto só aparecem nomeadas as pessoas que vivenciaram comigo o nascimento de *Becos*, ainda nos finais dos anos 1980.

Essas viram e manusearam a forma original, manuscrita e, depois datilografada, do texto. As primeiríssimas leituras foram dos professores Muniz Sodré, Joel Rufino, (agradecimentos *in memoriam*) Eduardo Coutinho e das professoras Maria Helena Marques, Lenita Cotecchia e Roseli Elias. Incluo o poeta Waldemar Euzébio, que tanto ouviu as minhas conversas de *Becos* e comigo também folheou o original, em sua versão manuscrita. Maria Cosme datilografou os originais na época. Léia Coelho fez a primeira correção. Neia Daniel, tempos depois, digitou *Becos,* e muito dialogamos ao sabor da leitura do texto. Cristina Cataldi digitou o texto que foi encaminhado para publicação. Silvano Clarindo Fidelis veio com atenção e presteza para fazer a última leitura em vésperas de a primeira publicação acontecer. Adilson Monteiro, Paulo Roberto dos Santos, Therezinha Abreu, Sônia Pessoa e Jurema Nunes, durante anos, insistiram e acreditaram na publicação de *Becos da memória*. Ressalto ainda a cumplicidade e o desejo do Altair Evaristo Vitorino, meu irmão (o Zinho) que ilustrou o livro e criou a capa para a publicação, que não aconteceu, em 1988. A essas e a outras pessoas que foram surgindo ao longo da trajetória do livro renovo meus agradecimentos.

DA CONSTRUÇÃO DE BECOS

Novamente entrego *Becos da memória*, agora em sua terceira edição, ao público leitor. É um especial momento. Nessa entrega, um pouco das memórias da construção de *Becos* são ativadas. Como já disse em outras ocasiões, esta narrativa nasceu em 1987/88, sendo, pois, anterior à escrita dos contos e do romance *Ponciá Vicêncio*. Foi o meu primeiro experimento em construir um texto ficcional con(fundindo) escrita e vida, ou, melhor dizendo, escrita e vivência. Talvez na escrita de *Becos*, mesmo que de modo quase que inconsciente, eu já buscasse construir uma forma de *escrevivência*. Arrisco-me a dizer, também, que a origem da narrativa de *Becos da memória* poderia estar localizada em uma espécie de crônica, que escrevi, ainda em 1968. Naquele texto pode ser apreendida a tentativa de descrição da ambiência de uma favela. Nomeei o pequeno escrito com o título de "Samba-favela". E o que foi apresentado como um exercício de redação à Profª Ione Correa (eu ainda estava cursando o antigo ginasial) extrapolou a sala de aula e os muros do colégio. "Samba Favela", meses depois, apareceu publicado no *Diário Católico de Belo Horizonte* e em uma revista católica do Rio Grande do Sul. Hoje, relendo aquele pequeno texto, vejo que *Becos da me-*

mória, anos e anos depois, retomou e ampliou um desejo e um modo de escrita que se insinuava desde aquela época.

A publicação de *Becos da memória,* por vários motivos, aconteceu depois de ter vindo a público o romance *Ponciá Vicêncio*. Creio mesmo que a aceitação do primeiro romance publicado me deu segurança para desengavetar *Becos*. Em 1988 o livro seria publicado pela Fundação Palmares/Minc, como parte das comemorações do Centenário da Abolição, projeto que não foi levado adiante, acredito que por falta de verbas. Os originais de *Becos da memória,* a partir dessa e de outras frustradas publicações, ficaram esquecidos na gaveta. Entretanto, anos depois, preciso ressaltar, em outra gestão, a mesma instituição se colocou à disposição para retomar o projeto de publicação da obra. Entretanto, o livro já havia se acostumado ao abandono e continuou esquecido na gaveta. E só, quase vinte anos depois de escrito, foi que surgiu a primeira publicação, em 2006. Por isso tudo e por todas as leituras que o texto tem recebido, esta terceira edição de *Becos* marca um momento especial na recepção do livro. Se, nas primeiras buscas por publicação, muitos caminhos foram incertos, ao longo dos anos, passagens mais seguras foram se apresentando.

Se a publicação de *Becos da memória* levou vinte anos para acontecer, o processo de escrita do livro foi rápido, muito rápido. Em poucos meses, minha memória ficcionalizou lembranças e esquecimentos de experiências que minha família e eu tínhamos vivido, um dia. Tenho dito que *Becos da memória* é uma criação que pode ser lida como ficções da memória. E, como a memória esquece, surge a necessidade da invenção.

Também já afirmei que invento sim e sem o menor pudor. As histórias são inventadas, mesmo as reais, quando são contadas. Entre o acontecimento e a narração do fato, há um espaço em profundidade, é ali que explode a invenção. Nesse sentido venho afirmando: nada que está narrado em *Becos da memória* é verdade, nada que está narrado em *Becos da memória* é mentira. Ali busquei escrever a ficção como se estivesse escrevendo a realidade vivida, a verdade. Na base, no fundamento da narrativa de *Becos* está uma vivência, que foi minha e dos meus. Escrever *Becos* foi perseguir uma *escrevivência*. Por isso também busco a primeira narração, a que veio antes da escrita. Busco a voz, a fala de quem conta, para se misturar à minha. Assim nasceu a narrativa de *Becos da memória*. Primeiro foi o verbo de minha mãe. Ela, D. Joana, me deu o mote: "Vó Rita dormia embolada com ela." A voz de minha mãe a me trazer lembranças de nossa vivência, em uma favela, que já não existia mais no momento em que se dava aquela narração. "Vó Rita dormia com ela, Vó Rita dormia embolada com ela, Vó Rita dormia embolada com ela..." A entonação da voz de mãe me jogou no passado, me colocando face a face com o meu eu-menina. Fui então para o exercício da escrita. E como lidar com uma memória ora viva, ora esfacelada? Surgiu então o invento para cobrir os vazios de lembranças transfiguradas. Invento que atendia ao meu desejo de que as memórias aparecessem e parecessem inteiras. E quem me ajudou nesse engenho? Maria-Nova.

Quanto à parecença de Maria-Nova, comigo, no tempo do meu eu-menina, deixo a charada para quem nos ler resolver. Insinuo, apenas, que a literatura marcada por uma *escrevivência* pode con(fundir) a identidade da personagem narradora com a identidade da autora. Esta con(fusão) não me constrange.

E continuo afirmando que a favela descrita em *Becos da memória* acabou e *acabou*. Hoje as favelas produzem outras narrativas, provocam outros testemunhos e inspiram outras ficções.

BECOS DA MEMÓRIA

Vó Rita dormia embolada com ela.

Vó Rita era boa, gostava muito dela e de todos nós.

Talvez ela só pudesse contar com o amor de Vó Rita, pois, de nossa parte, ela só contava com o nosso medo, com o nosso pavor.

Eu me lembro de que ela vivia entre o esconder e o aparecer atrás do portão. Era um portão velho de madeira, entre o barraco e o barranco, com algumas tábuas já soltas, e que abria para um beco escuro. Era um ambiente sempre escuro, até nos dias de maior sol. Para mim, para muitos de nós, crianças e adultos, ela era um mistério, menos para Vó Rita. Vó Rita era a única que a conhecia toda. Vó Rita dormia embolada com ela. Nunca consegui ver plenamente o rosto dela. Às vezes adivinhava a metade de sua face. Ficava na espreita, colocava a lata na fila da água ou punha a borracha na tina e permanecia quieta, como quem não quisesse nada. Ela aparecia para olhar o mundo. Ver as pessoas, escutar as vozes. E eu, de olhos abertos, pulava em cima (só os meus olhos).

Eu não atinava com o porquê da necessidade, do querer dela em ver o mundo ali à sua volta. Tudo era tão sem graça. Grandes mundos!...Uma bitaquinha que vendia pão, cigarro, cachaça e pedaço de rapadura. A bitaquinha era do filho dela. Ninguém gostava de comprar nada ali, o movimento era raro. Vendia também sabão, água sanitária e anil. E, fora a cachaça, estes eram os produtos que mais saíam.

Em frente da casa em que ela morava com Vó Rita, ficava uma torneira pública. A "torneira de cima", pois no outro extremo da favela havia a "torneira de baixo". Tinha, ainda, o "torneirão" e outras torneiras em pontos diversos. A "torneira de cima", em relação à "torneira de baixo", era melhor. Fornecia mais água e podíamos buscar ou lavar roupa quase o dia todo. Era possível se fazer ali o serviço mais rápido.

Quando eu estava para a brincadeira, preferia a "torneira de baixo". Era mais perto de casa. Lá estavam sempre a criançada amiga, os pés de amora, o botequim da Cema, em que eu ganhava sempre restos de doces. Quando eu estava para o sofrer, para o mistério, buscava a "torneira de cima".

A torneira, a água, as lavadeiras, os barracões de zinco, papelões, madeiras e lixo. Roupas das patroas que quaravam ao sol. Molambos nossos lavados com o sabão restante. Eu tinha nojo de lavar o sangue alheio. E nem entendia nem sabia que sangue era aquele. Pensei, por longo tempo, que as patroas, as mulheres ricas, mijassem sangue de vez em quando.

Naquela época, eu menina, minha curiosidade ardia diante de tudo. A curiosidade de ver todo o corpo dela, de olhá-la todinha. Eu queria poder vasculhar com os olhos a sua imagem, mas ela percebia e fugia sempre. Será que ela, algum dia, conseguiu ver o mundo circundante, ali bem escondidinha por trás do portão? Talvez. Em um sábado ou domingo em que a torneira estivesse mais vazia de lavadeiras.

Hoje a recordação daquele mundo me traz lágrimas aos olhos. Como éramos pobres! Miseráveis talvez! Como a vida acontecia simples e como tudo era e é complicado!

Havia as doces figuras tenebrosas. E havia o doce amor de Vó Rita. Quando eu soube, outro dia, já grande, já depois de tanto tempo, que Vó Rita dormia embolada com ela, foi que me voltou este desejo dolorido de escrever.

Escrevo como uma homenagem póstuma à Vó Rita, que dormia embolada com ela, a ela que nunca consegui ver plenamente, aos bêbados, às putas, aos malandros, às crianças vadias que habitam os becos de minha memória. Homenagem póstuma às lavadeiras que madrugavam os varais com roupas ao sol. Às pernas cansadas, suadas, negras, aloiradas de poeira do campo aberto onde aconteciam os festivais de bola da favela. Homenagem póstuma ao Bondade, ao Tião Puxa-Faca, à velha Isolina, à D. Anália, ao Tio Totó, ao Pedro Cândido, ao Sô Noronha, à D. Maria, mãe do Aníbal, ao Catarino, à Velha Lia, à Terezinha da Oscarlinda, à Mariinha, à Donana do Padin.

Homens, mulheres, crianças que se amontoaram dentro de mim, como amontoados eram os barracos de minha favela.

Tio Totó não se conformava com o acontecido. Deus do céu, seria aquilo vida? Por que a gente não podia nascer, crescer, multiplicar-se e morrer numa mesma terra, num mesmo lugar? Se a gente sai por aí, por este mundo de déu em déu e não volta, o que vale o respeito, a fé toda quando se está distante, no que para trás ficou? Para que a crença na volta ao lugar onde se enterra o umbigo? Verdade fosse!...

Tio Totó andava inconsolável: já velho, mudar de novo, num momento em que seu corpo pedia terra. Ele não sairia da favela. Ali seria sua última morada. Ele olhava o mundo com o olhar de despedida. Olhava sua terceira mulher, seus netos órfãos, sua casinha caiada de branco, algumas galinhas e o chiqueiro vazio.

– Perdi as forças, Maria-Velha. Trabalhei demais. Eu quero agarrar nas coisas, pegar o machado, rachar essa lenha... Assento e penso: pra quê? Fiz isso a vida inteira... Labutei, casei três vezes, viuvei duas, a terceira mulher é você. Tive filhos das duas primeiras. Os filhos também se foram. Partidas tristes, antes do tempo cumprido, antes da hora. Eu, vivido, já velho, estou aqui. Meu corpo pede terra. Cova, lugar de minha derradeira mudança.

Quando Tio Totó se entendeu por gente, ele já estava em Tombos de Carangola. Sabia que não nascera ali, como também ali não nasceram seus pais. Estavam todos na labuta da roça, da capina. Sabia que seus pais eram escravos e que ele já nascera na "Lei do Ventre Livre". Que diferença fazia? Seus pais não escolheram aquela vida, nem ele.

Antônio João da Silva tinha uma letra bonita e sabia soletrar alguma coisa. Dava trabalho ler. Juntar letra por letra e no final a palavra. Depois juntar palavra por palavra e, no final, debaixo das palavras em ajuntamento, surgia algum pensamento, algum dizer bonito ou alguma bobagem.

Antônio João da Silva – Totó – apelido de cachorro, não fazia mal, cachorro é amigo de homem. Um dia, ele, depois de juntar as letras e as palavras, leu isto:

Mais vale um cachorro amigo do que um amigo cachorro.

Não entendeu de prontidão o que queria dizer. Juntou novamente as letras, em seguida as palavras, e quase deu um grito de alegria. É mesmo, mais valia ser cachorro e amigo do dono, do que ser homem e nunca ser amigo.

Quando menino, foi chamado de Totó. Por que Totó e não Totonho ou Tonico ou até mesmo Joãozinho? Já homem, Sô Totó, agora velho, Tio Totó. Era tio de seus sobrinhos e dos sobrinhos dos outros.

– Não, eu já rodei, já vaguei por esse mundo velho... Já comi e bebi poeira das estradas. Tenho marcas de muita carga no lombo. Na roça, às vezes, meu pai contava histórias e dizia sempre de uma dor estranha, que nos dias de muito sol, apertava o peito dele. Uma dor que era eterna como Deus e como o sofrimento.

Totó entendia, era menino, mas, de vez em quando, sentia aquela punhalada no peito. Uma dor aguda, fria, que sem querer fazia com que ele soltasse fundos suspiros. O pai de Totó chamava aquela dor de banzo.

A vida passou e passou trazendo dores.

Um dia, ainda com a primeira mulher, tivera de deixar a fazenda em que foram criados trabalhando na roça. As terras haviam sido vendidas, os donos estavam em má situação. Quem quisesse ficar, ficasse, quem não quisesse, arribar podia.

Totó juntou a mulher, a filha e alguns trapos. Nem ele, nem ela tinham mais pais vivos. Um surto de tuberculose, que começara na casa-grande, assolara também os escravos. Iriam partir, queriam esquecer as histórias de escravidão, suas e de seus pais. Foram dias e dias sobrevivendo pelo mato. Lembravam histórias mais amenas de campo, de vastidão, de homens livres, em terras longínquas. Lembravam-se de deuses negros, reais, constantes e tão diferentes daquele Deus-Jesus de que tanto falavam os senhores e os padres. Nesta hora vinha a dor fina como um espinho rasgando o peito.

Havia o rio para atravessar, uma canoa improvisada de tronco de árvore. Não dava para esperar mais do lado de cá. Já havia uma semana de chuva. O rio subindo, mais e mais. O desespero também.

– A gente atravessa o rio ou fica, Miquilina? Você é por ir ou por ficar?

– A gente atravessa, Totó. Tenho medo, mas havemos de atravessar!

– É, Miquilina, se agarra à menina Catita, eu me agarro aos trapos. Santa Bárbara há de nos ajudar!...

O rio, a cheia, o vazio da barca improvisada, o turbilhão, a vida, a morte, tudo indo de roldão.

Totó alcançou só a outra banda do rio. Uma banda de sua vida havia ficado do lado de lá.

Cidinha-Cidoca andava muito quieta ultimamente. Quem te viu quem te vê!... Alheia pelos cantos do botequim, nem cachaça exigia mais. Suja, descabelada, olhar parado no vazio. Se lhe dessem um trago, bebia. Se não lhe dessem, nem da secura na boca reclamava mais.

– Bons tempos já houve, hein, Cidoca!...

Bonita a mulher, mesmo com aqueles olhos parados e com aquela carapinha de doida! Bonita a mulher! Doida mansa, muito mansa.

Antes gostava de andar de branco. Quase sempre usava um vestido solto sobre o corpo. A sombra de sua negra nudez era percebida sob o camisolão alvo. Era tudo muito bonito e tentador.

Diziam as más línguas e as boas também que Cidinha-Cidoca tinha o "rabo de ouro". Não havia quem o provasse e não se tornasse freguês. Todos iam e voltavam. Velhos, moços e até crianças. As mulheres da favela odiavam Cidinha-Cidoca. As mais velhas a temiam pelos seus homens, as mocinhas por seus namorados e as mães por seus filhos que começavam a crescer e que, entre o vício da mão, do autocarinho, preferiam o corpo macio e quente, preferiam o "rabo de ouro" da Cidinha-Cidoca.

Bom que ela estava doida, demente, desmiolada! Bom mesmo! Diziam até que era trabalho de uma moça virgem que criara mágoa de Cidinha. A menina havia descoberto que seu namoradinho andava visitando Cidinha-Cidoca. Falou com ele. O franguinho em véspera de galo não gostou. Discutiu, argumentou que era homem. E homem tinha de ir lá! Homem não era igual a mulher! Homem vai ou endoida! Sobe pra cabeça!

A menina não gostou. – Moça-virgem, porém boba não! Endoida que nada! Conversa de homem para dominar mulher! Pensa que mulher também não gosta, também não quer? Mulher vive abafando a vontade, os desejos, principalmente se moça virgem como eu! – ela retrucou.

O "frango em véspera de galo" não gostou. Achou a virgem saliente, achou a virgem não tão virgem assim!

E não se sabe por quê, daí para então, questão de dias, de quase mês, Cidinha-Cidoca começou a adoecer.

"Frango em véspera de galo" cismou com os prazeres da vida. Disse que não tocaria em mulher alguma mais nunca. Ia ser santo, ia fundar uma religião só para homens. Jamais olharia uma mulher sequer.

Os festivais de bola na favela tinham gosto de grandes alegrias. Aconteciam em uma época certa, era uma vez por ano. Duravam meses, durante os sábados e domingos. O campo era uma área livre, enorme, que ficava entre a favela e o bairro rico. Bem rico e bem próximo.

No campo, a terra solta, durante os jogos, a cada chute dado, levantava um redemoinho de pó, os jogadores caíam e rolavam na poeira. Em dias de chuva, caía-se na lama, às vezes até se machucava, mas a disputa continuava. Juntos estavam os operários, os vagabundos, os marginais em hora de gozo e lazer.

Em volta do campo fincavam-se bandeirinhas armadas em um varal de estacas de bambu. A garrafa de cachaça rolava de mão em mão, algumas cervejas também. Miúdos de porco eram sempre servidos. Muita gente criava porquinho no chiqueiro, no fundo do barraco. A bebida ficava sempre por conta daqueles que no momento tivessem mais. Donos de botequim e de bitaquinha sempre davam alguma. A criançada ganhava balas, pipocas e pirulitos. Os heróis ali muitas vezes ganhavam mulheres. Brigas sempre, só de faca; tiro, às vezes saía algum. Muito raro alguma morte. Se morte havia, o jogo, a bola não tinham culpa. Existiam outros motivos; quase sempre mulher.

Bondade adorava os festivais de bola. Não jogava, mas tinha o uniforme completo do time. Ele era uma espécie de talismã, era o "pé de coelho" da moçada. Nos jogos em que o Bondade não aparecia podia-se saber que alguma coisa não sairia bem.

– Hoje Bondade não apareceu, alguma coisa vai acontecer. Ou vai ter sururu, ou vamos perder!

Uma vez quase que uma partida foi adiada. O time contrário era bravo, havia a chuva atrapalhando e Bondade ainda não havia chegado. Toca de esperar, depois de muito, chega o próprio. Eis o Bondade trazendo alívio para o coração de todos. Trouxe também alguns raios de sol, estiagem passageira, que só durou o tempo da partida.

O time local saiu feliz. A cachaça descia quente na goela de todos. Era um dia de frio.

– Bondade! Oh, Bondade! Que é isso, Maninho, o que houve?

– Eu estava longe, lá no barraco de Filó Gazogênia. A velha está doente, vomitando, está quase a passar...

Bondade fazia jus ao apelido. Não tinha pouso certo. Morava em lugar algum, a não ser no coração de todos.

– Para que ter pouso certo? – dizia ele – Homem devia ser que nem passarinho, ter asas para voar. Já rodei. Já vivi favela e mais favela, já vivi debaixo de pontes, viadutos... Já vivi matos e cidades. Já vaguei, vaguei... Muito tempo estou por aqui nesta favela. Aqui é grande como uma cidade. Há tanto barraco para entrar, tanta gente para se gostar!

O tempo ia passando, Bondade ficando ali. Comia em casa de um, bebia em casa de outro. Era amigo comum de dois ou mais inimigos. Não era traidor nem mediador também. Quando chegava à casa de um, por mais que indagassem, por mais que futricassem, Bondade não abria a boca. Desconversava, conversava, e a intriga morria logo. Vivia intensamente cada lugar em que chegava. Cada casa, cada pessoa, cada miséria e grandeza a seu tempo certo, no seu exato momento.

É por isso que Bondade, torcendo pelo "Time Esperança", pega a bola, beija e entrega ao juiz. Triunfante, sai do campo alegre, como se fosse um jogador que fizesse o primeiro gol. E só se lembra de onde veio e só lembra do sangue na boca murcha e tísica de Filó Gazogênia porque vieram lhe indagar de sua demora.

Bondade sofreu muito com o desfavelamento. Ele, Tio Totó, Maria-Nova e algumas crianças foram talvez os que naquela época traziam o coração mais dolorido.

Festival de bola no campo. Festival no corpo de Cidinha-Cidoca. Tempo de novo homem, de homem estranho chegar ao corpo de Cidinha. As mulheres gostavam, enquanto ela se divertia com os homens do time contrário, os seus estavam resguardados.

Havia homem que nem bola direito chutava, só pensando em Cidinha-Cidoca. A fama da mulher corria. Era conhecida de corpo e nome naquela e em outras favelas. Às vezes, um ou outro jogador mais afoito, do time contrário, arriscava pedir à Cidinha que mudasse de pouso, que fosse com ele. Cidinha tinha mesmo vontade de conhecer outros lugares. Seu peito arfava de desejo por áreas desconhecidas. Era uma tentação. Afinal por que ficar? Já conhecia quase todos os homens da favela. Iria! O aventureiro se sentia feliz, vitorioso, afinal levaria consigo o melhor troféu, "Cidinha-Cidoca-rabo-de-ouro". Corria os olhos em volta, sabia que estava sendo observado. Os antigos homens, pretensos donos de Cidinha, estavam na espreita. Deitar com ele ou outro, sim, ela podia, afinal era fama, prestígio para a favela, mais um para contar as delícias da mulher. Porém, Cidinha ir, saltar as divisas, ultrapassar os limites do campo empoeirado... Não! Nem ela nem ele seriam doidos para se meterem em tamanha loucura.

O peito de Cidinha-Cidoca arfava mais forte. Que desejo era aquele de partir?

Seu vestido branco estava sujo de poeira, imundo. Melhor ainda, o campo era grande, atrás do barraco em que os homens trocavam de roupa tinha espaço suficiente, deitaria no chão. Abaixou os olhos e fez um sinal.

Uma mulher invejosa, que mal conhecera o único homem com o qual vivera trinta anos, segredou alto para a outra.

– Lá vai Cidinha-Cidoca...

Vó Rita dormia embolada com ela. E quando eu via Vó Rita minha curiosidade ardia. Eu olhava para Vó Rita de cima a baixo. Procurava alguma marca, algum vestígio da Outra em seu rosto, em seu corpo. Nem uma marca, nem um sinal. Entretanto, por maior que fosse minha curiosidade, eu guardava uma certa distância. Vó Rita me atraía, mas eu tinha medo, muito medo...

Vó Rita guardava tanto amor no peito! Também tinha mesmo o coração grande e só descobriu isto depois de moça. Um dia passou mal, o patrão era médico, exame para lá, exame para cá, ficou explicado por que, às vezes, ela se cansava tanto. Havia dias em que o coração parecia lhe querer sair pela boca. O médico disse-lhe que ela viveria pouco. Enganou-se. Lá estava ela, velha, mais de 70, de 80 talvez. Vó Rita era imensa. Gorda e alta. Tinha um vozeirão. Todo mundo sabia quando ela estava para chegar. Vivia falando. Nunca vi Vó Rita calada. Se não conversava, cantava. Boca fechada não entra mosquito, mas não cabem risos e sorrisos.

– Vó Rita, como anda o tempo hoje?

– Bom, filha! Muito bom!

– Vó Rita, mas está chovendo tanto!

– O que é que tem, menina? Chuva é tão bom quanto sol...

Era bonita Vó Rita! Tinha voz de trovão. Era como

uma tempestade suave. Vó Rita tinha rios de amor, chuvas e ventos de bondade dentro do peito.

Totó chegou são, salvo e sozinho à outra banda do rio. Chegou nu das pessoas e das poucas coisas que tinha adquirido. Onde estavam Miquilina e Catita? Não! Não podia ser... Será que elas... Não! Será que o rio tinha bebido as duas?

O rio estava bebendo tudo que encontrava pelo caminho. Pedras, paus, barrancos, casas, bichos, gente e gente e gente...

O rio, como a vida, levava tudo de roldão. Levava rápido, era só Deus piscar os olhos, deixar de vigiar a gente um tiquinho só e o rio vinha bebendo, engolindo tudo.

– E agora, como continuar a vida sem a mulher e a filha? O que que eu vou fazer? O que fazer agora do meu corpo, do meu pensamento, desse labutar tão sozinho?

E veio o pensamento na cabeça. "E se eu voltasse para o rio? Se eu entregasse o meu corpo à sede do rio? Se eu voltasse, quem sabe, lá embaixo ou em outro rio qualquer, eu pudesse encontrar aqueles corpos amigos?"

Totó, moço de tantas coragens, moço de tantas proezas e aventuras, continuou na outra banda do rio. São, salvo e sozinho. Continuou ali covarde, sem muita coragem de voltar ao rio e à vida.

– Maria-Velha, dizem uns que a vida é um perde e ganha. Eu digo que a vida é uma perdedeira só, tamanho é o perder. Perdi Miquilina e Catita. Perdi pai e mãe que nunca tive direito, dado o trabalho de escravo nos campos. Perdi um lugar, uma terra, que pais de meus pais diziam que era um lugar grande, de mato, bichos. De gente livre e sol forte... E hoje, agora a gente perde um lugar de que eu já pensava dono. Perder a favela! Bom que meu corpo já está pedindo terra. Não vou mesmo muito além. Se eu tivesse mais moço, começava em qualquer lugar novamente. Comecei cheio de dor, mas comecei outra vida quando cheguei são, salvo e sozinho na outra banda do rio. O tempo foi passando, pensava que estava ganhando alguma coisa. Nada, só dor. A dor sempre bate no coração da gente. Cada dor cai como uma pedra no peito. Pedras pontiagudas, e foram tantas! A dor dói fina, firme. Tantas pedradas. Tantas! E mais aquela quando Nega Tuína morreu.

Contudo Totó era homem duro. Não morria por qualquer coisa. Talvez ele nem fosse de morrer. Pedras pontiagudas batiam sobre o seu peito, sangravam seu coração e Tio Totó ali duro. São, salvo e sozinho.

Maria-Velha, mulher dura também, era a terceira mulher de Tio Totó. Quando encontrou o homem, ela também já tinha uma larga e longa coleção de pedras. Já vinha também de muitas dores e era por isso, talvez, que ela sorrisse só para dentro. Podia até estar contente, quase feliz, mas não alardeava o seu sentimento. "A tristeza tem orelha grande e ouvidos fundos", dizia ela. "Basta a gente dar uma gargalhada alta, que a orelhuda escuta e vem logo tristezando atrás da gente."

Tempos houve em que ela ria, sorria, gargalhava até. Tempos bons passados, bem distantes, tempo criança. Ela era renitente, feliz, vivia os dias em grandes saltos pelos campos afora. Vida de roça. O pai, antes de endoidecer completamente, entre um sumiço ou outro, fazia alguma coisa com a sua lucidez. Plantava a terra que tinha, vendia a colheita aos fazendeiros. Fazia, ainda, cruz, banquinhos, mesas e outras coisas de madeira. A mãe cuidava um pouco da casa, tinha um lado esquecido. Torrou café, saiu na friagem, pegou vento, diziam.

Maria-Velha e Tio Totó ficavam trocando histórias, permutando as pedras da coleção. Maria-Nova, ali quietinha, sentada no caixotinho, vinha crescendo e escutando tudo. As pedras pontiagudas que os dois colecionavam eram expostas à Maria-Nova, que escolhia as mais dilacerantes e as guardava no fundo do coração.

Havia uma história que Maria-Velha repetia sempre, um fato passado em sua infância e que ela recontava e recontava para a menina Maria-Nova: Um dia, ela, Maria-Velha, ainda nos tempos de sua meninice, pulava que nem cabrita na frente de seu avô. Ele olhava, limpava os olhos e fungava sempre. Um dia, Maria descobriu que ele chorava.

– O que foi, vovô, chorando? – Vovô chorando, chorando sim!

Aquela menina, pernas longas, aqueles pulos acabritados, era a imagem fiel de uma filha sua. Filha que ele perdera de vista e que nunca mais vira.

Mãe de leite de uma criança, um dia a escrava se rebela contra o sinhô. Agarrou o homem pelo peito da camisa, sacudiu, sacudiu. A escrava foi posta no tronco, iam surrá-la até o fim. A criança, filha de leite, chora, grita, berra, desmaia, volta a si, quase enlouquece.

– Não matem "mamãe preta", não matem "mamãe preta"!

Os sinhôs resolveram então vender a escrava e nunca mais se soube dela.

Maria-Velha, quando era criança, quando era só Maria, toda vez que pulava, que cabritava diante do avô, era como se uma pedra pontiaguda atingisse o peito do velho homem.

As tardes na favela costumavam ser amenas. Da janela de seu quarto caiado de branco, Maria-Nova contemplava o pôr do sol. Era muito bonito. Tudo tomava um tom avermelhado. A montanha lá longe, o mundo, a favela, os barracos. Um sentimento estranho agitava o peito de Maria-Nova. Um dia, não se sabia como, ela haveria de contar tudo aquilo ali. Contar as histórias dela e dos outros. Por isso ela ouvia tudo tão atentamente. Não perdia nada. Duas coisas ela gostava de colecionar: selos e as histórias que ouvia. Tinha selos de vários lugares do Brasil e de alguns lugares do mundo. Ganhava, achava, pedia. A igreja do bairro rico, ao lado da favela, era de uns padres estrangeiros. Maria-Nova lá ia pedir selos. Ganhava das patroas de sua mãe e de sua tia. Tio Tatão dava os mais lindos. Ele tinha ido à guerra. Tinha histórias também. Mas, das histórias dele, Maria-Nova não gostava. Eram histórias com gosto de sangue. Histórias boas, alegres e tristes eram as de Tio Totó e da tia, Maria-Velha. Aquelas histórias ela colecionava na cabeça e no fundo do coração, aquelas ali haveria de repetir ainda.

Maria-Nova crescia. Olhava o pôr do sol. Maria-Nova lia. Às vezes, vinha uma aflição, ela chorava, angustiava-se tanto! Queria saber o que era a vida. Queria saber o que havia atrás, dentro, fora de cada barraco, de cada pessoa. Fechava o livro e saía. *Torneira de baixo ou torneira de cima? Hoje estou para o sofrimento. Vou ver Vó Rita. Vou pedir que me leve até a Outra. Posso também ir olhar a ferida que o Magricela tem na perna. Tenho nojo, mas olho. Posso ir assistir à briga de Tonho Sentado e Cumadre Colô. Posso ver a Tereza, quem sabe hoje ela dá o ataque? Posso passar devagar, pé ante pé, perto do barraco do Tião Puxa-Faca. Gosto de ouvi-lo afiar a lâmina. Imagino a dor se ele me retalhar a carne. Hoje quero tristeza maior, maior, maior... Hoje quero dormir sentindo dor.*

Maria-Velha parece que adivinhava os desejos de Maria-Nova. E, quando a menina estava para o sofrer, a tia tinha tristes histórias para rememorar.

Contava com uma voz entrecortada de soluços. Soluços secos, sem lágrimas. Sabia-se que ela estava chorando pela voz rouca e pela boca amarga.

O pai de Maria-Velha sempre foi tido como meio louco. Inteligente demais, indagador da vida, e que nunca pôde expandir toda a sua efervescência íntima. Era um homem de matutar, de imaginar as coisas e as causas. Quando voltava de suas peregrinações, vinha contando as novidades em que ninguém acreditava. Era chegar ao povoado, abrir a boca, já todo mundo dizia: "Lá vem mais uma do Luisão da Serra."

A primeira vez que Maria-Velha viu seu pai, foi na rua. Fora comprar fumo de rolo para o avô. Entrou na venda da Palhoça e viu um homem igual ao vovô, só que novo. O homem fitava o além. Maria chegou, pediu bênção ao pai. Ele pediu a Deus que a abençoasse sem contemplá-la, já trazia o olhar distante, vazio. Já estava quase louco. Maria, não velha ainda, tinha uns sete anos, talvez.

O avô de Maria-Velha sempre chorava quando via a menina cabritar em suas brincadeiras infantis de pula-pula. O velho tinha um amontoado de dores. Dos vários filhos que tivera, perdera quase todos. Vivo, só tinha Luisão e, mesmo assim, louco. Luís fora menino inteligente, sempre indagador das coisas e das causas. Era um rebelde, odiava os sinhôs.

Quando venderam a sua irmã, por ela ter agarrado o sinhô pelo peito da camisa, ele vomitava ódio e prometia se vingar, pôr fogo na casa-grande. Chorou a noite toda. E o pai teve uma surpresa. Luís falou com ele durante horas naquela língua da terra distante. O pai pensava que o garoto soubesse falar só a linguagem dos brancos. Qual nada! Surpresa e alegria, Luís falava aquela linguagem tão bonita! No outro dia Luís sumiu. O avô de Maria chegou até a pensar que os sinhôs tinham vendido o rapaz também. Eles já tinham vendido a sua mulher e os outros filhos. Será que tinham matado o menino?

Anos se passaram, o homem sem se rebelar, apenas a dor, o banzo alimentando a vida. Aqueles sinhôs se mudaram, venderam a fazenda com tudo. "O homem ali, tanto fazia", pensava ele, "qualquer branco, sorrindo ou não, é sempre sinhô".

Um dia, sem quê nem para quê, apareceu o menino, voltou já rapaz, homem feito. Luís de barba no rosto, alto, muito alto, sempre com aquele olhar distante.

– Pai, vamos daqui, não é preciso nem falar pro sinhô da fazenda. Nessas andanças descobri coisas... Há muito que branco não é mais dono de negro. Nem vender Iya, a mãe, com os filhos, nem vender Ayaba, minha irmã, podiam. Tenho algum dinheiro, labutei fora, trabalhei madeira e vendi.

O homem velho e o homem moço foram a caminho. O velho calado, o moço mudo. O homem moço comprou um pedaço de terra, passaram a lavrar o que era de seu, pai e filho. A vida seguia calma, boa. Luís vivia a cismar coisas, a falar sozinho. O pai olhava o filho, o filho olhava o pai, os dois estavam sozinhos. O pai queria tanto que o filho casasse, tivesse mulher e filhos, se multiplicasse, continuasse a raça. Luisão da Serra cumpriu os desejos do pai. Casaria. Uma negra calma haveria de ser a bonança, a paz, a lucidez de sua loucura. Teria filhos: Maria, Tatão, Natividade, Ilídia e Joana. Ele já velho, ainda haveria muito de chorar, vendo Maria, sua neta, ali na sua frente. Naqueles momentos tinha a impressão de ver a vida se repetindo. Maria era igual, era a imagem pura de sua filha Ayaba. Filha para quem ele escolhera um nome bonito. Os sinhôs naquele dia estavam de bom humor ou de bom coração talvez e permitiram que ele, o pai, escolhesse o nome. Filha que ele pôde chamar de Ayaba que na linguagem dele e de seu povo significava Rainha.

Maria era igual a Ayaba, Maria parecia com a Rainha.

Bondade conhecia todas as misérias e grandezas da favela. Ele sabia que há pobres que são capazes de dividir, de dar o pouco que têm e que há pobres mais egoístas em suas misérias do que os ricos na fartura deles. Ele conhecia cada barraco, cada habitante. Com jeito, ele acabava entrando no coração de todos. E, quando se dava fé, já se tinha contado tudo ao Bondade. Era impressionante como, sem perguntar nada, ele acabava participando do segredo de todos. Era um homem pequeno, quase miúdo, não ocupava muito espaço. Daí, talvez, a sua capacidade de estar em todos os lugares. Bondade ganhou o apelido que merecia.

Um dia, já fazia anos, Bondade chegou ali na favela com um saco de estopa nas costas. Tinha os olhos aflitos e a boca seca de sede e de fome. A primeira porta em que ele bateu foi a de Vó Rita. Passou ali o resto do dia, comeu e dormiu. No outro dia, tirou do saco o seu tesouro, um chapéu de couro, deu um beijo na testa de Vó Rita e saiu a ver os outros. Nunca mais parou. Todos já tinham em casa o cantinho para o Bondade, assim que ele chegasse. Ali ele forrava a sua cama e dormia. Durante o tempo em que ficasse, não era um parasita, estava ajudando sempre. Não se sabe como, Bondade tinha sempre um trocadinho. Era um leite que ele comprava, um remédio que trazia, um pão que não se teria hoje.

Corria o boato que Bondade era rico, lá pelas terras dele, Pernambuco ou Pará, não sei. Diziam que ele tinha dinheiro que rendia juros. Fato é que Bondade, sempre uma vez por mês, saía da favela de manhã e só chegava com o pôr do sol. Diziam que ia ao banco buscar dinheiro. Podia ser! No outro dia, as crianças ganhavam doces e ele atendia sempre aos mais necessitados, os que tivessem com uma carência urgente. Comprava também uma garrafa de cachaça e bebia tudinho. Depois se deitava no canto do barraco onde ele estivesse, e dormia o tempo todo da embriaguez. Ninguém bulia com ele, ninguém indagava nada, nem as crianças, nem Maria-Nova, que era a curiosidade em pessoa. Todo mundo respeitava o mistério de Bondade.

Maria-Nova tinha em Bondade outro contador de histórias. Coisas que ele não contava para gente grande, Maria-Nova sabia. As histórias tristes Bondade contava com lágrimas nos olhos, nas alegres, ele tinha no rosto e nas mãos a alegria de uma criança.

Maria-Nova queria sempre histórias e mais histórias para sua coleção. Um sentimento, às vezes, lhe vinha. Ela haveria de recontá-las um dia, ainda não se sabia como. Era muita coisa para se guardar dentro de um só peito.

– Maria-Nova quer uma história alegre ou triste?

Ela quase sempre estava mais para a amargura. Achava os barracos, as pessoas, a vida de todos, tudo sem motivo algum para muita alegria. Ela pediu a história triste, a mais verdadeira.

B ondade, então começou a contar:

Maria-Nova, em um barraco desses há uma menina de sua idade. Quantos anos você tem? Treze. Isto mesmo, treze anos. A menina sonha. Infantis desejos, guardar na palma das mãos estrelas e lua. Armazenar chocolates e maçãs. Ter patins para dar passos largos... A mãe da menina sonha leite, pão, dinheiro. Sonha remédios para o filho doente, emprego para o marido revoltado e bêbado. Sonha um futuro menos pobre para a menina. A mãe da menina sonha ter nenhuma necessidade. Sonha dinheiro, dinheiro, dinheiro...

Para um pouco e recomeça:

Outro dia, veio aqui o fornecedor da fábrica de cigarros, suprir os botequins da favela. O homem, diferente de nós, fala grosso com a mão no bolso. A mãe da menina fica a olhar a mão do moço sempre no bolso. Os dois se olham. Ela já sabe do vício do moço. O moço já sabe das necessidades da mãe da menina. O moço é rápido, direto, franco e cruel. "Quanto você quer, mulher?" A mãe da menina não responde. O moço tira um pacote de notas. A mãe chama a menina: "Nazinha, acompanhe o moço!" O homem pega a menina pela mão e segue outros rumos. Não mais o rumo da fábrica, era preciso fugir, pegara o dinheiro do patrão. A mãe da menina ajunta os trapos, o filho doente, o marido revoltado e bêbado. Procura outros caminhos, também era preciso fugir.

Maria-Nova na noite em que ouviu a história de dor da outra menina dormiu e sonhou com a amiguinha. Nazinha sentia dor, sangue, sangue, sangue... Era como se a vida lhe estivesse fugindo, a começar por aquele ponto entre as pernas. O homem tapou-lhe a boca e gozou tranquilo.

Dois dias depois, o zunzum se espalhou pela favela. Tetê do Mané vendeu a filha. O homem comprou com dinheiro roubado. A polícia estava fazendo a sindicância. Ninguém sabia para onde ela havia arribado com o filho doente e o marido bêbado. Este foi o assunto durante uns bons dias, tanto na torneira de baixo como na torneira de cima.

Maria-Nova já sabia antes de todo mundo. Ela sentia falta, sentia a dor, se angustiava por sua amiga Nazinha.

Negro Alírio chegou numa madrugada chuvosa. Estava molhado até os ossos. Era muito bonito, tinha as características negras bem marcantes.

Maria-Nova gostou de Negro Alírio. Ela era uma menina, mas alguma coisa de mulher já bulia dentro de si. O que ela mais gostou em Negro Alírio foi da boca. Ela ficou pensando em seus lábios carnudos. A chegada de Negro Alírio coincidiu com a venda de Nazinha. Nos sonhos noturnos, Maria-Nova confundia tudo. O homem que comprara Nazinha era Negro Alírio. Nazinha era ela própria. Só que ela não sofria tanto. A boca de Negro Alírio lhe dava um certo alívio. Acordava suada, em lágrimas. Uma certeza Maria-Nova tinha: Mãe Joana não a venderia nunca!

Mãe Joana era uma mulher triste. Não sorria nunca. Coincidência ou não, era irmã de Maria-Velha. Vinha de uma mãe que tinha o lado direito abobado, adormecido, e de um pai doido, demente, maluco.

Maria-Velha ria por dentro, se escondendo, fugindo da tristeza. Mãe Joana não ria, nem por dentro, nem por fora. Mãe Joana talvez chorasse, tempestuasse constantemente por dentro. Ela era bonita e triste. Tinha uma pequena verruga bem na ponta do nariz.

Maria-Nova nunca conseguira uma história de Mãe Joana, embora ela tivesse tantas. As histórias de Mãe Joana deviam ser bonitas e tristes como ela. Deviam ser histórias de amor. Maria-Nova tinha certeza, jamais Mãe Joana a venderia ou venderia algum de seus filhos. Ela comeria o pão que o diabo amassou, iria ao fundo do inferno, mataria se preciso fosse, mas não daria, nem venderia, nenhum dos filhos. Mãe Joana estava ali feito galinha arrepiada, detectando qualquer sinal de perigo. E na sua fragilidade enfrentava o mundo. Mãe Joana amamentava, criava e amava o que era seu. Maria-Nova sabia, Mãe Joana é mulher de poucas palavras. Mãe Joana é uma mulher de muito amor.

Na madrugada em que Negro Alírio chegou à favela, chovia muito. Batera em casa de Maria-Nova e, apesar de Tio Totó estar se tornando um velho sistemático, ele permitira que Negro Alírio passasse o resto da noite ali. Mal o dia raiou, Negro Alírio levantou-se e saiu. Tio Totó sentiu um certo alívio; Maria-Velha, indiferença; Maria-Nova, uma espécie de tristeza. Negro Alírio encontrou pouso logo perto dali. Baixou a sua tenda na casa, no corpo e no coração de Dora.

Maria-Nova sentiu que Negro Alírio tinha um segredo. Percebeu que ele tinha nos olhos o ar de fugitivo. Tempos depois, Bondade lhe contaria uma história que logo ela adivinharia como sendo a de Negro Alírio.

Ela jamais esqueceria aquele homem molhado até os ossos, aquele ar misterioso, aqueles lábios carnudos. E aquela imagem, por longos anos, se tornou um vício. Maria-Nova sempre procurou aquela sensação primeira, aquela impressão deixada por Negro Alírio, no corpo, no jeito dos homens que ela veio a ter um dia.

Na favela havia uma família que tinha um grande comércio. O negócio deles não era botequim nem bitaquinha. Era armazém mesmo. Havia outros armazéns na favela. Dois ou três mais, entretanto aquele era da preferência de todos. Vendiam tudo, até banho. O dono do armazém mandara construir alguns quartinhos de madeira do lado de fora, instalara chuveiros. Os homens, eram sempre os homens, compravam ficha e iam lá se banhar. Devia ser bom, era banho de chuveiro, como se fosse pequena chuva caindo no corpo da gente.

O armazém de Sô Ladislau ficava perto da torneira de cima. Era uma área da favela para a qual a Prefeitura soltava água em abundância. Sô Ladislau mandou instalar uma torneira do lado de fora da casa, ali perto dos quartinhos de chuveiro. Quem quisesse pegar água ou lavar roupa ali, pagava para ele uma certa quantia.

A família de Maria-Nova não fazia uso daquela água. Tio Totó achava que seria um gasto a mais. Maria-Velha sempre lavava roupa e buscava água em torneiras públicas e Mãe Joana, apesar de tantas freguesas de roupa, faltava-lhe dinheiro, tinha tantos filhos...

Maria-Nova não se sentia atraída para apanhar água ou lavar roupa na torneira do armazém de Sô Ladislau, ela desejava, sim, era experimentar o banho de chuveiro. A não ser a alegria dos homens que saíam dos quartinhos de banhos, ainda nus da cintura para cima e com a cabeça molhada, nada era interessante por ali. Nada para se ver. Aconteciam coisas, porém. Ali, na porta do armazém, estavam os homens, alguns bêbados, outros vadios e muitos trabalhadores. Entre eles havia os que bebiam o dinheiro todo e, por isso, as mulheres sempre iam lá brigar. Algumas brigavam também com Sô Ladislau. Esses acontecimentos Maria-Nova não achava graça em observar. Ela preferia mesmo a torneira pública. Gostava de ver a agressividade das pessoas nos dias em que a água estava pouca. Gostava de ouvir as histórias que as mulheres, às vezes, contavam baixinho. Gostava de ficar à espreita, olhando fixamente para o portão na esperança de ver a Outra. Era preciso aguardar o instante em que ela, às escondidas, viesse admirar o mundo.

Uma sombra se movimentou e, quando o enigmático corpo percebeu os olhos da menina em cima de si, se desfez. Era duro enfrentar o olhar das pessoas. Ultimamente até o seu filho a olhava de maneira diferente. Ela percebia um quê de temor nos olhos dele, toda vez que ela se aproximava. Será? Até seu filho? Ela fugia sempre dos olhares dos outros. Tinha vontade de ir à rua, mas faltava-lhe coragem. O pior era aquela menina, com seu olhar curioso, cruel, desesperado. Aquela busca incessante. Ultimamente, Maria-Nova não saía da torneira. Era tempo de férias. Época de aula, pelo menos uma parte do dia, podia ficar atrás do portão, que as pessoas passavam e raramente lembravam que ela estava ali. Nas férias era um tormento! Maria-Nova ficava durante todo o dia lavando roupa ou buscando água. Não sei para que e para onde esta menina leva tanta água! Eu mal posso chegar ao portão. Não quero que ela me veja. O único olhar que eu enfrento é o de Rita. Ela é a única pessoa que sabe me olhar normalmente. Os outros todos me olham procurando me ver.

Além dos festivais de bola, um outro momento em que a favela respirava alegria era nas festas juninas. Numa casa ou noutra, se acendia uma fogueira. Colhia-se dinheiro de quem pudesse dar, comprava-se canjica e seus ingredientes, e estava tudo pronto para um encontro, para uma festa. Se viesse alguém que não tivesse participado com dinheiro, nunca lhe seria negado um prato. Entretanto, havia uma festa junina que se tornara oficial na favela. A festa de Cabo Armindo.

Cabo Armindo, antes de tudo, era um brasileiro devoto. Em todas as datas cívicas, ele, talvez tendo herdado o espírito e as práticas do Quartel, punha na vitrola o *Hino Nacional* e, com seu serviço de alto-falante, a música se espalhava pelos quatro cantos da favela. Dia Sete de Setembro, ouvia-se o *Hino Nacional* o dia todo. Dia de Nossa Senhora Aparecida, padroeira do Brasil, também. Neste dia, rezava-se o terço e a ladainha de Nossa Senhora. Depois sempre tinha uma mesa farta de doces e biscoitos. Todo mundo comia. Muitos nem gostavam de rezar, mas iam pelo lanche.

Havia determinadas pessoas na favela que eram conhecidas como "tiradeiras de terço". Eram elas quem dirigiam as orações, e sempre se faziam necessárias. Pois havia as rezas do mês de maio, mês de Maria, as rezas de outubro, mês do Rosário, as novenas de novembro, preparação para a chegada do Menino Jesus, os santos juninos e outros. Essas pessoas eram solicitadas para tirar o terço, puxar as rezas de casa em casa. Os santos visitavam cada barraco, era só o dono querer. Todo mundo queria. Como recusar a visita de um santo? Sempre no último dia de reza, o dono da casa oferecia um lanchinho, que podia ser até um simples café com pedacinho de pão.

Cada área da favela tinha seus tiradores oficiais de terço. Poucos sabiam ler. A maioria sabia de cor as rezas e muitas vezes em latim. Como Maria-Nova lia muito bem e os santos sempre visitavam a casa dela,

ela foi se tornando uma tiradeira oficial de rezas. Começou em sua casa e já era solicitada para puxar o terço nas moradias mais próximas. Todos achavam bonito aquela menina esguia, bem magra, de olhos sempre indagadores, de expressão entre séria e triste, ajoelhada no meio dos grandes a ler tão bem as orações do livro. Maria-Nova, muitas vezes, lia em latim a ladainha de Nossa Senhora. Todos sabiam a ladainha de cor e respondiam em coro: *Ora pro nobis*. Maria-Nova, emocionada, lia alto e firme:

– *Mater creatoris*.

E todos respondiam:

– *ora pro nobis*
Mater salvatoris,
ora pro nobis.

Mas a oração de que Maria-Nova mais gostava era *Salve-Rainha*. Havia partes da oração em que ela via todo o seu povo, em que ela reconhecia o brado, as tristezas, os sofrimentos contidos nas histórias de Tio Totó, nas de Maria-Velha e nas histórias que Bondade contava. Ela conhecia e reconhecia os personagens. A oração podia ser aplicada à vida de todos e à sua vida:

A vós bradamos os degredados filhos de Eva
Por vós suspiramos neste vale de lágrimas [...]

Ela via ali, em coro, todos os sofredores, todos os atormentados, toda a sua vida e a vida dos seus. Maria-Nova sabia que a favela não era o paraíso. Sabia que ali estava mais para o inferno. Entretanto, não sabia bem por quê, mas pedia muito à Nossa Senhora que não permitisse que eles acabassem com a favela, que melhorasse a vida de todos e que deixasse todos por ali. Maria-Nova sentia uma grande angústia. Naquele momento, sua voz tremia, tinha vontade de chorar.

A festa junina na casa de Cabo Armindo mexia com todos na favela. Ninguém ficava indiferente. Vinham sempre os vizinhos mais próximos e os distantes também, de todos os extremos da favela. Havia quadrilha para os adultos. Cabo Armindo era exigente. Os ensaios começavam com uma certa antecedência e eram sempre aos sábados e domingos. Quem faltasse aos ensaios não podia se apresentar no dia. Poucos faltavam e os que se propunham a dançar queriam mesmo ter uma parte ativa na festa.

Cabo Armindo morava numa área privilegiada da favela. Sua casa ficava no centro de um terreno enorme. Armava-se a fogueira, dançava-se a quadrilha. Os assistentes ficavam no terreiro ou do lado de fora da cerca de arame, que ladeava o terreno da casa dele. A casa era abaixo do nível da rua (do beco), de modo que as pessoas cá de cima assistiam a tudo também.

Ele bancava toda a festa. Serviam-se canjica, doces, biscoitos, fogueira, batata-doce, quentão, tudo à vontade. Ninguém pagava nada. Diziam alguns que ele apenas organizava a festa e cedia o local, mas quem bancava tudo eram os ricos que moravam no bairro nobre bem ao lado da favela. Bancavam para que os favelados não os importunassem. Havia outros bairros perto de favelas em que as casas eram constantemente arrombadas. Parece que havia mesmo um acordo tácito entre os favelados e seus vizinhos ricos. *Vocês banquem a nossa festa junina, deem-nos as sobras de suas riquezas, oportunidades de trabalho para nossas mulheres e filhas e, antes de tudo, deem-nos água, quando faltar aqui na favela. Respeitem nosso local, nunca venham com plano de desfavelamento, que nós também não arrombaremos a casa de vocês.* Assim, a vida seguia aparentemente tranquila. E dois grupos tão diversos teciam, desta forma, uma política da boa vizinhança.

Na quadrilha de Cabo Armindo, duas mulheres sobressaíam sempre: Mãe Joana e Cidinha-Cidoca. Mãe Joana, todo ano, estava linda e séria. Cidinha-Cidoca, em seu vestido de caipira sempre branco e cheio de renda. Mãe Joana, linda e séria; Cidinha-Cidoca, bonita e risonha, bonita e faceira, bonita e insinuante.

Maria-Nova nunca entendeu por que Mãe Joana, tão linda, com aquele vestido, que ela ficava meses fazendo à mão, que ficava tão bonito e que todo mundo elogiava tanto, ao se olhar no espelho, ao ver a sua imagem refletida, não desse nem um sorriso para si própria.

Maria-Nova não entendia a seriedade, a falta de risos e sorrisos da mãe.

Mãe Joana, Mãe Joana, sorria um pouco, Mãe Joana!

Já Tio Totó sempre fora um homem de risos e sorrisos fartos. A gargalhada dele retumbava. Ele viera de pais escravos. Viera são, salvo e sozinho da outra banda do rio, deixando nas águas o melhor de seu. Viera de uma primeira e de uma segunda mulher mortas. Viera de filhos mortos. Estava no terceiro casamento, cumpria seu tempo de vida com seus noventa e tantos anos. E até há bem pouco tempo, ria gostoso, ria liberto. Seu riso, sua gargalhada foi rareando quando ele começou a envelhecer. Tio Totó custou a se tornar um velho. Aos oitenta anos era um moço. E gostava de repetir: "Eu não sou de morte fácil, de vida difícil, sim!" De todas as suas histórias, a que ele gostava mais de contar, e repetia sempre, era a da travessia do rio. Sempre começava assim:

"Cheguei são, salvo e sozinho na outra banda do rio. Gostaria de ter morrido, mas estou aqui."

Mas, um dia, todos começaram a perceber que Tio Totó estava envelhecendo. Não pelos cabelos brancos, porque havia muito que ele já os tinha. Não porque andasse meio trôpego nem porque já trouxesse a voz meio rouca. Não eram essas as marcas da velhice de Tio Totó. Ele envelhecia porque estava perdendo as esperanças. Envelhecia porque nem vontade de recomeçar de novo tinha. Envelhecia ao fazer um balanço de toda a sua vida e só ver a morte como única saída.

Maria-Nova assistia ao envelhecimento de Tio Totó e desejava comunicar-lhe um pouco de juventude. Ela sabia que a morte resolve os problemas de quem morre e raramente de quem fica. Ela sabia que Tio Totó queria morrer porque se sentia mais uma vez ludibriado na vida. Ela compreendia a razão dele, mas perguntava ao Tio Totó:

– E nós, e eu?

Tio Totó insistia:

– Maria-Nova, para que sirvo? A favela acabando, por que tenho de ir com vocês? Por que não parar aqui? Meu corpo pede terra.

Tio Totó não entendia que seus noventa e tantos anos eram necessários aos quase quinze de Mariinha.

– Estou cansado, menina! Já venho tentando viver há grande tempo, venho de duras lidas. Você se lembra da história de Nega Tuína? Quando conheci Nega Tuína, eu ainda estava de luto no corpo e na alma pela morte de Miquilina e Catita. Estava há longo tempo sem conhecer outra mulher. Ria, sorria, gargalhava alto para espantar, para debochar da dor. Era duro esquecer e aceitar que, num minuto, a vida, o rio, havia levado tudo de roldão, levado o que eu tinha de melhor de meu. Lutei. Eu não queria me transformar em uma pessoa desesperada nem ia ficar amalucado por isto. Carecia de pôr a cabeça no lugar e sair vivendo.

Deu uma pausa e retornou:

– Nas andanças de lá para cá, consegui um punhado de *almanaque*. Li todos, foi o tempo em que eu mais li. Tinha dor na cabeça e nas vistas de tanto ler. Quando acabei a leitura de todos, havia aprendido alguma coisa. Senti que lia melhor. A leitura já não me dava tanto trabalho. Eu já não precisava mais juntar letra por letra, havia palavras que eu lia no primeiro olhar... Um dia li em voz alta para mim mesmo e senti que quase não gaguejava mais. Passei, então, a copiar tudo que eu gostava num caderno e veja isto aqui. Estas palavras riscadas embaixo:

Os sonhos dão para o almoço, para o jantar, nunca.

Mostrou-lhe o caderno e continuou a contar:

– Fiquei embatucado com aquele dizer. Primeiro pensei que era sonho (doce, daquele tão gostoso que sua Tia Maria-Velha faz) e fiquei matutando, matutando... Ora entendia, ora não entendia. Perguntei ao Zé Noronha, velho companheiro na construção que erguia parede ao meu lado. O moço ficou de levar para a escola. Ele era pedreiro de dia e estudava à noite. E, se levou, nunca me deu resposta. Um dia, encontrei novamente o *almanaque* no meio de uns pertences meus. Li de novo. Eu já lia melhor. Vi também que isto estava escrito numa página que só tinha ditados e versos. Então não podia ser mesmo sonho, doce de comer. Mas, mesmo assim, não atinei com o dizer que estava ali por trás do escrito. Nessa época perdi o *almanaque*. Hoje só tenho comigo o caderno e agora entendo o que o escrito quer dizer. Hoje sei que o escrito fala do sonho. Sonho que é uma vontade grande de o melhor acontecer. Sonho que é a gente não acreditar no que vê e inventar para os olhos o que a gente não vê. Eu já tive sonho que podia e não podia ter. Eu tive sonho que dava para minha vida inteira, para todo o meu viver.

Hoje descobri a verdade do dizer daquele ditado. Sonho só alimenta até à hora do almoço, na janta, a gente precisa de ver o sonho acontecer. Tive tanto sonho no almoço de minha vida, na manhã de minha lida, e hoje, no jantar, eu só tenho a fome, a desesperança...

Quando Tio Totó conheceu Nega Tuína, ele ainda tinha no peito aquela pedra pontiaguda causando-lhe uma profunda dor. Havia até esquecido os prazeres que uma mulher lhe poderia dar. Vinha de umas andanças pelo interior adentro. De fazenda em fazenda que passava, trabalhava e sempre juntava algum dinheiro na mão. Apesar da dor, havia decidido que louco não ficaria, nem abobado. Tentaria ludibriar o sofrimento e, apesar do luto, decidiu se aproximar de Nega Tuína, moça bonita que trabalhava na cozinha da fazenda, enquanto ele estava a labutar na roça de algodão. Havia uns dois anos e pouco que o rio tinha bebido o melhor de seu.

Armando-se de coragem e se agarrando aos sonhos de uma vida melhor, Totó mandou um recado para a cozinha da fazenda. Queria falar com Nega Tuína. Queria convidar a moça para ir embora com ele. Nega Tuína aceitou e quase desmaiou de alegria. Havia muito tempo que ela observava aquele moço lá no meio do algodoal. Ele também estava achando graça nela. E, se estava pedindo para ela ir com ele, é porque estava gostando dela, queria casar com ela. Ela ia ser mulher dele. Ela teria o seu homem. Ali, era costume, se um homem chegasse para uma mulher e a chamasse para ir com ele, a mulher podia ter certeza de uma coisa: o primeiro lugar, a primeira caminhada junta, seria até à capelinha da fazenda. Só depois, então, seguiriam sozinhos para os outros caminhos. Tuína enxugou a mão no avental, limpou o suor do rosto e correu a dar a notícia aos amigos da cozinha e depois aos patrões. Era para eles que ela deveria falar primeiro. Nega Tuína era sozinha, sem parentes sanguíneos. De seus ela considerava as outras negras e negros da cozinha. Crescera ali na fazenda, agarrada às saias das cozinheiras. Uma delas, um dia, mesmo sem ela perguntar, contou que sua mãe morrera de parto, quando ela nascera. Tuína não indagou mais nada. Ela era mais ou menos feliz. Para que mãe? Para que pai? E cresceu assim. À medida que crescia, só tinha um desejo: ter uma casinha sua, ter um homem seu. Ela ouvia as negras mais velhas falar de seus homens e isto acendia um desejo em Nega Tuína. Filhos, principalmente filhos, ela queria de montão, um, cinco, dez, treze filhos. Ela queria treze filhos. Até o dia da partida, Nega Tuína não trabalhou nem dormiu mais tranquila. Só tinha uma imagem na cabeça, a do moço Totó, nu da cintura para cima, suado, reluzente. O corpo negro sobressaindo entre as alvas flores de algodão.

Daí a alguns dias, assim que o Padre João passou no povoado, os dois vestiram a roupa domingueira e, na capela, receberam a bênção do casamento. Nega Tuína só quis uma coisa, apanhou três flores de algodão, amarrou com um pedaço de palha seca, e este foi o buquê que ela levava na mão. O coração do moço Totó batia e ele sorria deixando entrar em si as novas promessas, os sonhos, as doces ilusões.

Nega Tuína não tinha se enganado. Sempre que ela via o moço Totó de risos e sorrisos tão fartos, ela imaginava que ele seria homem de outras farturas. E era. A vida continuava como um rio em remanso. Vieram caminhando para a capital.

Havia muito que Bondade não contava história nenhuma para Maria-Nova. Tio Totó contava sempre alguma, Maria-Velha também. A tia contava as dela e as da irmã Joana; contudo, à medida que Maria-Nova crescia, ela ia intuindo, ia lendo as histórias nos olhos, na expressão linda e triste da mãe. A menina andava ansiosa para que Bondade lhe contasse alguma. Fatos estavam acontecendo, muitas coisas ela percebia, mas só conseguia um melhor entendimento, por meio das narrações que ouvia. Ela precisava ouvir o outro para entender. E quando, naquele dia, Bondade cruzou com seus passos miúdos a soleira da porta, o coração de Maria-Nova começou a saltar-lhe pela boca. Olhou com aflição para ele e sorriu. Bondade piscou para ela. Com um calor invadindo-lhe o corpo todo, ela teve certeza de que iria conhecer, naquele momento, a história de Negro Alírio. Desviou os olhos do olhar de Bondade. Ele, calmo e manso, enquanto, nela, o corpo todo ardia. Um ponto secreto de seu corpo queimava-lhe mais. Maria-Nova sentiu um certo temor e muita vergonha. Lembrou-se de Negro Alírio chegando altas horas da noite, molhado até os ossos. Lembrou-se logo de seus lábios carnudos, de sua expressão assustada e misteriosa. Pensou que devia ser uma história de amor, de vida e de perigo...

E Bondade assim começou:

O Homem nascera bem longe dali. Quando criança fora, até um dado momento, um moleque qualquer. Um dia aprendera a ler. A leitura veio aguçar-lhe a observação. E da observação à descoberta, da descoberta à análise, da análise à ação. E ele se tornou um sujeito ativo, muito ativo. Não era um mero observador, um enamorado das coisas e do mundo. Era um operário, um construtor da vida.

Já de jovem, adquirira a certeza de que muita coisa estava para ser feita, e não podia esperar, cruzar os braços, esperar resposta dos outros e do além. Era preciso ir lá, no fundo do poço, era preciso pôr o dedo na ferida e fazer sangrar. Era preciso que a ferida sangrasse o sangue mau, apodrecido, primeiro. Depois, aos poucos, gota por gota, o sangue estancaria e o corpo novamente poderia pôr-se de pé e procurar seus caminhos.

Seus pais sangraram, já velhos, quando o Homem, um dia, numa manhã, abraçou-os e partiu.

– Bênção pai, bênção mãe, tenho de ir. Vocês sempre hão de ter notícias minhas. Vou em paz, sei que não estão sozinhos. Enquanto estive por aqui, plantei e colhi para nós e para os outros. Ensinei a leitura para os pequenos e vivemos todos a vida de irmãos. Lembra, pai, como era tudo antes? Cada qual miseravelmente no seu canto de terra, cada qual retendo a sua sabedoria, cada qual sedimentando a sua ignorância, a sua pobreza, cada qual mais fraco e temendo o coronel Jovelino. E o coronel Jovelino falando grosso, seus capangas imitando a voz do patrão e mandando na gente como se donos fossem. Sabíamos que alguma coisa estava errada, que era preciso mudar. Ou a gente ou eles. Sabíamos também que os capangas dele eram gente nossa. Tínhamos comprovado que todos eles, antes de serem capangas do Coronel, eram nossos irmãos. Só quando estavam sob a proteção e a ordem do Coronel, passavam a nos desconhecer. O que acontecia? A voz gritada e fria do patrão, do senhor, mudava a voz do empregado? Por que a voz do Zé Meleca, que até ontem era a nossa voz, estava mudando tanto? O Zé Meleca seria capaz de usar aquela arma do patrão que ele tinha na cintura, contra algum de nós? Seria?

A menina também se perguntava: *Zé Meleca usaria a arma do senhor contra seus irmãos?*

Maria-Nova, ao desenhar em sua imaginação os tiros que se anunciavam na arma do capataz, lembrou-se de Tio Tatão. Ele contava histórias de guerras. Um dia ele contou um pouco da guerra de que havia participado. E não se sentia herói por isso. Na época era preciso recrutar mais e mais soldados e só por isso ele foi aceito para o serviço militar. Quando se alistou, não era alfabetizado ainda. Havia outras questões, uma delas era o fato de ele ser de baixa estatura. Mas todos eram bem-vindos naquele momento: negros, índios, cafuzos, sararás... Não se excluía ninguém. Naquelas circunstâncias a pátria era de todos. Tio Tatão ainda narrava a história de uma outra guerra. Aquela em que muitos escravos participaram da peleja. Foram com a promessa de que, quando voltassem, ganhariam a liberdade. Guerrear foram, havia a promessa de alforria. Muitos negros morreram na época e os que voltaram puderam perceber que a conquista da liberdade pedia não somente a guerra de que eles haviam participado, mas uma luta muito particular, a deles contra a escravidão.

Pedro da Zica caiu ensanguentado no chão. Ainda teve tempo de gritar:

– Miserável! Capacho de branco! Porco!

Zé Meleca guardou a arma e saiu pisando duro feito o patrão, mas quem pôde ver de perto, quem teve tempo de ver os olhos dele viu uma nuvem de medo, de remorso talvez.

Ele não era burro, sabia que estava numa situação emprestada. Sabia que estava sendo usado, sabia que não era o patrão. Sabia que era um miserável mesmo. Acabara de matar um homem, um irmão, a mando do Coronel, por uma questão de terra.

Com a morte de Pedro da Zica, a ferida começava a sangrar, e ainda muito sangraria. O Homem estava ali para fazer a ferida sangrar até onde fosse preciso.

Os companheiros cobriram Pedro da Zica com um pedaço de pano branco e acenderam uma vela. Enquanto alguns ficaram ali de guarda, outros buscaram forças lá no fundo de suas fraquezas, de suas ansiedades, de suas revoltas e foram à casa do Coronel Jovelino. Não havia dúvidas, Pedro da Zica havia sido assassinado a mando do Coronel. Havia muito tempo a contenda existia. Já os avós do Coronel queriam tomar as terras dos avós de Pedro da Zica. Terras tão boas, tão vizinhas da fazenda! O que custava aquela negrada vender as terras e desocupar o beco? Mas os Zicas eram teimosos. Não vendiam, não saíam, embora se sentissem cada vez mais acuados. Sempre e sempre um elemento ou outro da família Zica sumia e, dias depois, aparecia boiando nas águas do rio. O Coronel se encarregava de espalhar a notícia e de lamentar que a família dos Zicas tivesse a mania de suicídio, de se matar, lançando-se às águas do rio. Os Zicas sabiam que era mentira.

Um dia, o Homem, que, na época, era ainda um pouco mais que um menino, já de noite, tomava banho no rio, quando viu alguns homens chegarem carregando uma pessoa, que parecia morta, e jogá-la nas águas do rio. Reconheceu que eram os homens, os capangas do Coronel. No outro dia espalhou-se a notícia de que mais um Zica havia aparecido boiando nas águas do Rio das Mortes. Seria mais uma alma penada para gemer naquele local. Por isso que ninguém ia por ali à noite, nem os valentões do povoado, nem ninguém dos Zicas, nem ninguém da família do Homem. As águas do Rio das Mortes calavam um segredo que era delas, do Coronel e de seus capangas. Naquela noite, o segredo passara a ser também do Homem.

O Homem, quando ainda menino, ao testemunhar o fato, sentiu que ali havia algum perigo. Voltou para casa, calado, quieto, observando, vasculhando tudo. Não conseguiu dormir naquela noite, chovia muito. Relâmpagos furavam o céu. Olhou seus pais que começavam a envelhecer. Pensou que talvez eles estivessem deixando a vida desperdiçar, gastar em meio a toda aquela pobreza. Mais um relâmpago cortou o céu e o pensamento agudo crescia em sua cabeça. As coisas tinham de mudar, e quem faria a mudança seriam eles, porque o Coronel, os ricos não mudariam nunca. Naquela noite, ele não dormiu, pensou o tempo todo em dois fatos: um, era aquele que acabara de testemunhar – um homem sendo lançado ao rio pelos capangas do Coronel –; o outro, um fato que seus pais lhe contaram um dia.

Ele tivera um bisavô que tinha uma ferida na perna. A chaga comia-lhe não só a carne, mas também o osso, tornando-se mais um sofrimento que o acompanhara pela vida afora. Já velho, inútil para o trabalho, peso morto, ficava sentado, e a ferida exposta aos mosquitos, além do cheiro e da dor. Sempre que o Sinhô moço passava por ele, fazia questão de chutar a ferida do velho. Ele apenas gemia: "Ui, ui, ui... Sinhô-moço!"

Depois, muitos anos depois, uma ferida apareceu na perna de Sinhô-moço, na mesma perna, no mesmo lugar. De nada valeu todo tratamento, todo cuidado. Nem médicos, nem garrafadas, nem rezas de pretos-velhos. A ferida sangrava, fedia e comia a perna do Sinhô-moço. Os negros diziam que era castigo de Deus. E ficavam felizes porque tinham um Deus que se vingava por eles e que um dia lhes daria o reino do céu.

Ele, ainda pouco mais que um menino, naquela noite pensou: "Deus que tivesse pena dele se aquilo fosse pecado, se aquilo fosse blasfêmia, mas eles precisavam de um Deus urgente ao lado deles, a toda hora, àquela hora e sempre. E não mais tarde. Eles precisavam de terra, de pão, de trabalho, de sossego, de poder viver o agora e não de um reino do céu, depois que morressem." E mais ainda acreditou que era preciso pôr o dedo na ferida. Não na ferida de seu povo, mas na ferida do povo contrário ao seu. E decidiu que, no outro dia, mesmo que fosse morto depois, ele espalharia tudo o que havia visto na noite anterior. Ele vira um homem ser jogado no rio, pelos capangas de Coronel Jovelino.

"Os miseráveis precisam acreditar que eles têm Deus ao seu lado!" Foi isso que o Homem pensou na noite em que viu jogarem um homem morto no rio. Noite em que ele não conseguira dormir pensando no acontecido e também revivendo a história de um bisavô que ele nem conhecera. A perna ferida, e a vida agredida do velho. O mesmo pensamento voltou naquele instante, uns dez anos depois, enquanto caminhava com os outros apressada e raivosamente para a casa do Coronel Jovelino. Era domingo e todos os que passavam para a missa viam o corpo de Pedro da Zica estendido no chão. Alguns ficavam parados, estarrecidos, com medo do morto ou com medo de quem o mandou matar. Outros se juntavam com os que iam adiante. O Homem caminhava na frente. Seria hoje que ele poria o dedo na ferida dos que estavam do lado de lá. A ferida dos seus já estava sangrando havia muito tempo. O dia de hoje se confundia com o dia de ontem, mas o amanhã teria que ser diferente.

Quando ele, ainda quase um menino, acordou, ou melhor, viu o dia e as pessoas acordarem, quis gritar o que vira na noite anterior. Contemplou seus pais que estavam vestidos com a roupa domingueira. Eram os trapos menos trapos que colocavam sobre o corpo, quando o padre do povoado vizinho aparecia para celebrar a missa. Contou a eles o que havia acontecido. Percebeu nos olhos do pai um rasgão de temor e levou uma boa surra por ter ido ao rio à noite. A promessa de uma nova surra foi feita, caso contasse aquilo para alguém.

Enquanto os pais dele foram à capelinha, um pouco distante dali, ele saiu pelas vilas do povoado. A notícia já se espalhara. Mais um Zica se havia jogado nas águas do Rio das Mortes. Mania estranha dos Zicas! Ele sabia que era mentira. Quantos Zicas já haviam aparecido boiando depois de alguns dias de sumiço? Uns quatro ou cinco, só que ele conhecera. Ele sabia também que este fato já acontecia anos e anos antes de ele nascer. Com um nó na garganta, com um gosto de morte na boca, e com o corpo dolorido da surra que levara, correu até à casa dos Zicas e contou o que presenciara. Qual foi a sua surpresa! Os Zicas quase lhe bateram também e ameaçaram contar para os pais dele o que ele estava fazendo. Confessaram que não gostavam do Coronel. Que não dariam nem venderiam a terra, mas que não podiam fazer nada. Que um dia Deus daria o troco. Só uma pessoa da família dos Zicas, só uma mulher, uma velha, chorava e esbravejava.

– Assassinos! Amanhã, mesmo que me afoguem também, eu vou ter com o Coronel Jovelino.

Dias depois, naquela época, mais dois fatos sangraram a ferida do Homem: a velha apareceu morta nas águas do Rio das Mortes, e uma professora, a mando do Coronel Jovelino, apareceu em sua casa para ensiná-lo a ler. A mesma professora que ensinava os filhos do Coronel. O Coronel sabia que o maior desejo do menino era o de aprender a ler. Ele tinha nessa época de quatorze a quinze anos. Com a professora vieram lápis, cadernos, cartilha e tudo. O Coronel mandou também um recado para que ele aparecesse lá na fazenda, à hora que quisesse. Este e outros recados vieram... Oferta de trabalho e oportunidade para estudar na capital, como tinham ido seus filhos. O menino nunca mandou um agradecimento qualquer. Aproveitou bem os ensinamentos da mestra. Cresceu.

Agora ali, grande, era a primeira vez que iria encontrar com o inimigo benfeitor. Sabia bem por que o Coronel fizera aquilo tudo. A velha Zica fora a última a aparecer afogada nas águas do Rio das Mortes. Todo mundo sabia que a pressão continuava; porém, ninguém mais se suicidara. A última investida acabava de acontecer. O Pedro da Zica morto, assassinado aos olhos de vários deles por Zé Meleca, um capanga do Coronel Jovelino.

O Homem caminhava meio cego de ódio, relembrando o fato acontecido havia dez anos, e o daquela hora. O ocorrido no passado só ele testemunhara e fora obrigado a calar. Agora, não! Não era mais um indefeso menino. Era um homem e, como tal, não poderia calar diante da injustiça. Ia enfrentar seu inimigo benfeitor. Havia muito que ele sabia de tudo, esperava este momento. O próprio inimigo o fizera mais esperto. O próprio inimigo o ensinara a ler. E ele aprendera mais do que lhe fora ensinado. Sabia ler o que estava e o que não estava escrito. Sabia ler cada palmo da terra, cada pé de cana, cada semente de milho. Sabia mais ainda, sabia ler cada rosto de um irmão seu. Sabia também que estava muito perto de a mesa virar...

Maria-Nova ouvia a história que Bondade contava e, por mais que quisesse conter a emoção, não conseguia. Hora houve em que ele percebeu e se calou um pouco. Calou-se também com um nó na garganta, pois sabido é que Bondade vivia intensamente cada história que narrava, e Maria-Nova, cada história que escutava. Ambos estão com o peito sangrando. Ele sente remorsos de já ter contado tantas tristezas para Maria-Nova. Mas a menina é do tipo que gosta de pôr o dedo na ferida, não na ferida alheia, mas naquela que ela traz no peito. Na ferida que ela herdou de Mãe Joana, de Maria-Velha, de Tio Totó, do louco Luisão da Serra, da avó mansa, que tinha todo o lado direito do corpo esquecido, do bisavô que tinha visto os sinhôs venderem Ayaba, a rainha. Maria-Nova, talvez, tivesse o banzo no peito. Saudades de um tempo, de um lugar, de uma vida que ela nunca vivera. Entretanto o que doía mesmo em Maria-Nova era ver que tudo se repetia, um pouco diferente, mas, no fundo, a miséria era a mesma. O seu povo, os oprimidos, os miseráveis; em todas as histórias, quase nunca eram os vencedores, e sim, quase sempre, os vencidos. A ferida dos do lado de cá sempre ardia, doía e sangrava muito.

A menina, apesar da dor, pedia mais e mais aquela história. Gostava de alguns pontos coincidentes entre ela e o Homem. Ambos, quando pequenos, tinham o desejo de aprender a ler. Pequenina ainda, se entretinha horas e horas com revistas e jornais que a mãe e a tia lhe traziam. Tio Tatão, por vez ou outra, aparecia com um presente, um livro. Maria-Velha e Mãe Joana sabiam ler. Maria-Velha aprendera com uns missionários que volta e meia apareciam no lugarejo em que foram criadas. Mãe Joana aprendera sozinha catando cuidadosamente as letras, nas horas de folga nas casas em que trabalhava. Era, talvez, por isso o seu grande desejo e esforço para que os filhos aprendessem a leitura. Todos foram para a escola. Muitas vezes a fome acompanhava as crianças pelo caminho, pois o pouco dinheiro do pão era desvirtuado para a compra de um caderno, lápis ou borracha. Elas caminhavam rápidas, e aflitas esperavam pela hora da merenda. Maria-Nova, à medida que aprendia, se tornava mestra dos irmãos menores e das crianças vizinhas. Maria-Nova crescia, lia, crescia.

Coronel Jovelino andava para lá e para cá na varanda da sua fazenda. Ele sabia que a terra estava pegando fogo. Que merda havia feito o Zé Meleca! Matar um dos Zicas assim, em plena luz do dia, perto de todos. Agora o menino crescera, ele que sempre fora uma pedrinha na sua botina, machucando seu calcanhar desde o dia em que, garoto ainda, testemunhara um Zica, assassinado pelos seus homens, ser lançado no rio. Mandou jogar a velha, mas restava o menino. Teve medo de bulir com o garoto, mandou ensinar-lhe as letras. Queria ver se conseguia trazê-lo para o lado de cá, torná-lo um dos seus, e nada! Agora eis que ele estava vindo à sua casa, e acompanhado de um bando de gente. Vê só, ele havia criado cobra na rodilha! Algumas vezes, ele o vira de longe, tivera vontade de se aproximar, mas aquele moleque havia virado homem. Era uma espécie de líder no povoado. Em sua casa de noite, ensinava outros moleques a ler. Diz que tinha até uma mocinha que ia lá também. Ele ia de vez em quando à cidade e voltava com livros. Trazia notícias sobre o que acontecia por lá. Diz que agora estava lendo para os outros, estudando com eles um jornal que explicava tim-tim por tim-tim, o que era sindicato, greve, liga camponesa, reforma agrária. Assuntos que só agradam a estes vagabundos e que vêm tirar o sossego da gente. Era o que faltava! Tanta coisa para resolver e aquele tipo, desde pequeno, era metido a besta!

Havia mandado matar o Pedro da Zica sim, porém não ali. Bom tempo era aquele em que eles morriam afogados! Era preciso criar rápido uma defesa. Rápido porque o Homem estava chegando, atravessando, com os pés sujos de poeira, o encerado vermelho de sua varanda que lembrava sangue.

O Homem olhou no fundo dos olhos do Coronel Jovelino e percebeu um lampejo de medo. Desviou os olhos, engoliu em seco e deu com a pintura vermelha das paredes do alpendre. Olhou o chão, também vermelho, e o gosto de sangue veio à boca. Teve um movimento rápido e quase imperceptível com as mãos, sentiu-se enforcando o Coronel. Olhou novamente fundo nos olhos do Coronel e leu o medo. Olhou os irmãos ao lado, olhou os que ficaram lá fora e leu o ódio. Bastava um gesto seu e poderiam mandar o Coronel e toda a sua família para o inferno. Depois entrariam na casa e tomariam de volta toda a riqueza que era de cada um deles, pois tudo aquilo que estava ali fora construído em cima da pobreza, da miséria de cada um. Olhou a casa do coronel e leu a riqueza, a opulência, o desperdício, o ter muito de poucos e o não ter nada de muitos.

Deu mais um passo à frente, os outros também. O Coronel suava, mas podia ser o calor. O sol, o céu, a terra e os homens pegavam fogo.

Pensou rápido. *Matamos este Coronel, saqueamos a fazenda e daí? Outros coronéis existem!*

Respirou fundo e gritou:

– Cuidado, Coronel! A fome, a miséria, a injustiça e as derrotas que sofremos, apenas fortalecem a gente para fazer a virada um dia... O que o Coronel tem a dizer sobre a morte do Pedro da Zica? Desta vez não deu tempo de afogar o coitado?!

O Coronel também respirou fundo e respondeu:

– Não tenho nada a dizer, a questão era dos dois; do Pedro e do Zé Meleca!

E chamou bravo o capanga, colocando no chamamento o ódio que sentia de todos.

– Zé Meleca!

Zé Meleca veio vindo, lento e assustado.

– Zé Meleca, fala para eles! Você matou o Pedro da Zica foi a mando meu? Foi? Fala para eles! Fala o que aconteceu! Eles não sabem o que aconteceu! Eles não sabem que Pedro da Zica andava bulindo com a sua mulher...

Zé Meleca levantou a cabeça e olhou meio atordoado para o Coronel. O Homem leu nos olhos, nas feições e no porte do Coronel, os modos de mando. Em Zé Meleca, leu os modos de obediência cega, de puro pavor. O capanga, sem fitar a sua gente que estava ali, pois ele sabia que aquela era a sua gente, tornou a baixar a cabeça, e foi como se neste gesto todo o seu corpo abaixasse, respondeu:

– Ele bulia com a minha mulher.

O ódio que sentiam do Coronel transferiram para o Zé Meleca, pois sabiam que ele estava mentindo. Ficaram sem saber quem era o mais porco, o Coronel ou ele.

Só o Homem entendeu, só ele percebeu, só ele leu na atitude de Zé Meleca que, se cuidado a gente não toma, até a dignidade da nossa gente os do lado de lá podem roubar.

A partir daquele dia, muita coisa mudou no povoado. O barulho seco da bala, o corpo de Pedro da Zica no chão, a caminhada até à casa do Coronel, a covardia, o medo, a traição, a mentira do Zé Meleca, tudo isto caiu no fundo do coração de todos. Crianças, mulheres, homens, todos, cada qual à sua maneira, cada qual com seu poder de alcance, de entendimento diante da vida, percebeu que, se ficasse cada um para o seu lado, eles não seriam ninguém. A ideia da cooperativa, que havia muito o Homem discutia com os irmãos, começou a tomar corpo. Era cada um cuidando de sua vida, mas cuidando também da vida dos outros. Os que estavam doentes ou velhos e que não aguentavam plantar, se tinham alguma terra, cediam para os que não dispunham de nenhuma. Os novos cuidavam da terra, do alimento para si e para os que não tinham mais forças para disto cuidar. As colheitas eram vendidas ou trocadas entre os plantadores mesmo, e o excedente vendido fora. As mulheres que tinham filhos revezavam entre si a tarefa de olhar as crianças e, assim, elas também, alternadamente, iam trabalhar no cuidado da terra, sem, com isto, sacrificar os pequenos. As crianças maiores se encarregavam de ajudar a cuidar também dos menores e de ir ensinando as letras que já sabiam. O Homem sabia que muita coisa ainda estava para ser feita. Sabia também que o Coronel não estava satisfeito, alguns de seus empregados haviam percebido que, se cuidassem da terrinha que tinham, poderiam viver sem o patrão. Outros perceberam que podiam pegar suas colheitas e ir vender diretamente na cidade. Andavam um pouco, cansavam-se mais, entretanto um pequeno lucro era possível. Quando plantavam e vendiam para o Coronel, não recebiam quase nada e gastavam tudo no armazém da fazenda. Mas, melhor do que o lucro, foi perceberem que, depois de anos e anos a fio, estavam conseguindo, eles mesmos, dar um novo rumo às suas vidas. Estavam se libertando do cinturão do Coronel.

E foi com o coração mais aliviado que o Homem resolveu sair dali um pouco. Ia varar mundo, ia viver e ler outras vidas. Ia buscar entre outros, entre os operários da cidade, um modo de viver como irmão.

Sempre sabíamos quando Vó Rita estava chegando. Ela vinha cantarolando ou falando sozinha, às vezes, até sozinha sorria, gargalhava mesmo. E não era louca, Vó Rita! Vó Rita era boa, muito boa. Hoje, quando penso em Vó Rita, é como se pensasse no mistério e na plenitude da vida.

Maria-Nova escutou de longe a gargalhada forte de Vó Rita. Quis correr para abraçá-la, mas se lembrou da Outra. Não! Vó Rita dormia embolada com ela. Parou, então, com o coração aos pulos. A voz, o som, a música de Vó Rita, foram se aproximando. Maria-Nova sentiu uma dor e uma alegria intensa. Não sabia bem por quê, mas todas as histórias lhe vieram à mente: as que Maria-Velha contava, as do Tio Totó, as de guerra de Tião Tatão, as do Bondade, as silenciosas que ela aprendera a ler nos olhos tristes de Mãe Joana, as que ela testemunhava no dia a dia da favela. Teve a impressão de que tudo e todos caberiam no coração de Vó Rita e não no coração dela. E não era por ela ser uma menina! Não era por isso não! Era porque no coração de Vó Rita tinha espaço para tudo e para todos.

Vó Rita vinha cantarolando, mas escondia uma preocupação no peito. A Outra andava muito calada ultimamente e trazia sempre a ideia de morte nos olhos. Era difícil ver os olhos da Outra, e só Vó Rita conseguia ver. Desde o dia em que a Outra percebeu o temor, o asco nos olhos de seu próprio filho, a ideia de morte começou a rondar-lhe a cabeça. Por que e para que continuar a viver? Até seu filho! Ela já tinha se isolado de tudo e de todos. Nos últimos sete anos, o seu mundo se limitava dentro de um lento caminhar entre o barraco no fundo do terreno e a bitaquinha na frente. Ia e vinha no beco escuro, entre o barraco e o barranco, lentamente. Parava, escondia-se, olhando lá para fora. Ninguém se lembrava dela e se, por descuido, alguém olhasse para o lado do portão, temeroso, desviava o olhar como se tivesse visto a própria morte. Só a menina insistia em olhar, só a menina a buscava tanto.

Ainda bem que existia Vó Rita, ainda bem que existia a amizade, o amor de Vó Rita. Mesmo que a qualquer hora ela decidisse tomar aquela dose de veneno, que estava escondida no fundo do guarda-roupa, sabia que não morreria sozinha. Seria ainda Vó Rita que tomaria sua cabeça e poria a vela em suas mãos. Suas mãos, olhou para si mesma e sorriu ironicamente. Como o passado havia sido diferente, com o marido e o filho! Fora até feliz. Chorou para dentro e, em seco, não quis pensar mais no passado. Já se tinha esquecido de quase tudo. O marido fora embora, e ela sentia que, a qualquer hora, o filho iria também. Seria melhor, quanto mais cedo ele partisse, melhor para ele e para ela. Talvez para eles ainda tivesse alguma salvação. Foi no fundo do guarda-roupa e, com enorme dificuldade, pegou o veneno. Não podia, e não era por ela. Era por Vó Rita. Morrer daquela forma era trair Vó Rita.

Os tratores da firma construtora estavam cavando, arando a ponta norte da favela. Ali, a poeira se tornava maior e as angústias também. Algumas famílias já estavam com ordem de saída e isto precipitava a dor de todos nós. Cada família que saía, era uma confirmação de que chegaria a nossa vez. Ofereciam duas opções ao morador: um pouco de material, tábuas e alguns tijolos para que ele construísse outro barracão num lugar qualquer, ou uma indenização simbólica, um pouco de dinheiro. A última opção era pior. Quem optasse pelo dinheiro recebia uma quantia tão irrisória, que acabava sendo gasta ali mesmo. Depois vinha o pior, decorrido o prazo de permanência, nem o dinheiro, nem as tábuas, nem os tijolos, só o nada.

Todos sabiam que a favela não era o paraíso, mas ninguém queria sair. Ali perto estava o trabalho, a sobrevivência de todos. O que faríamos em lugares tão distantes para onde estávamos sendo obrigados a ir? Havia famílias que moravam ali havia anos, meio século até, ou mais. O que seria a lei usucapião? Eram estes pensamentos que agitavam a cabeça de Maria-Nova, enquanto olhava o movimento de tratores para lá e para cá. Um tratorista era loiro e a poeira o deixava vermelho. Maria-Nova sorriu um pouco. Várias crianças olhavam o trabalho dos moços. Alguma, mais afoita, chegava mais perto e a mãe, que já estava triste, revoltada, ia buscá-la e, ali mesmo, começava a pancadaria. Aqueles tratores trariam tanta tristeza, trariam desgraça até. E naquela noite aconteceria uma...

O dia acabava e os que voltavam do trabalho tentavam esquecer o cansaço, parando junto daqueles que levavam um vadio viver. Quem era o mais sábio? O malandro ou o trabalhador? Fora o perigo da polícia, a vida de ambos era igual. As privações eram as mesmas. Alguma coisa, pelo menos, estava provada: o trabalho não enriquece ninguém. A malandragem barata de morro também não.

O samba, o som, a alegria voavam alto. Era preciso cantar! Abriam a boca tão escancaradamente que se viam as falhas de dentes e os já apodrecidos. O hálito de cachaça vinha quente de dentro de alguns. Havia risos e sorrisos bonitos ali. Não eram dentaduras alvas, certas e limpas que enfeitavam o riso. O sorriso-riso era bonito porque vinha de lá de dentro, vinha da inocência, da ilusão de estar sendo feliz. Todos acreditavam que estavam sendo felizes.

Sô Ladislau, de dentro do balcão, observava a cena. Quem passasse por ali, quem desconhecesse o local, pensaria que era a primeira vez que tudo estava acontecendo, tal o interesse de todos. O som do pandeiro, da cuíca, do atabaque, das vozes saíam de dentro de todos. Era uma cena bonita e triste. Talvez só bonita, triste aos olhos de Maria-Nova que divagava em um pensamento longínquo e próximo ao mesmo tempo. Duas ideias, duas realidades, imagens coladas machucavam-lhe o peito. Senzala-favela. Nesta época, ela iniciava seus estudos de ginásio. Lera e aprendera também o que era casa-grande. Sentiu vontade de falar à professora. Queria citar, como exemplo de casa-grande, o bairro nobre vizinho e como senzala, a favela onde morava. Ia abrir a boca, olhou a turma e a professora. Procurou mais alguém que pudesse sustentar a ideia, viu a única colega negra que tinha na classe. Olhou a menina, porém ela escutava a lição tão alheia como se o tema escravidão nada tivesse a ver com ela. Sentiu certo mal-estar. Numa turma de quarenta e cinco alunos, duas alunas negras, e, mesmo assim, tão distantes uma da outra. Fechou a boca novamente, mas o pensamento continuava. Senzala-favela, senzala-favela!

Agora, os que iam levantar-se cedo para o batente despediam-se da batucada e caminhavam solenemente bêbados de cansaço para o barraco. Os que tinham compromisso só com a farra, com o não querer, com o não fazer, continuavam cantando, puxavam o batuque mais alto ainda, como se fosse um deboche. Não era não, apenas cantavam fundo, até o fundo da noite. Ninguém reclamava. A favela adormecia sob o ninar dos que tinham a vida vadia. E foi da vadiagem deles, do amanhã que surgiria sem compromisso algum que aflorou no João da Esmeralda a seguinte ideia de menino:

– Vamos dar uma volta de trator?

– E quem sabe dirigir trator?

E era preciso saber? Ele tinha ficado o dia todo observando, era só puxar aqui e lá e o bicho corria pesadão, lento!

Assim se foi o pequeno bando de homens-vadios-meninos. Estavam tão felizes! Iam brincar de carrinho no carrinho. Prazer que não tiveram na infância. Rindo, gritando, pulando, tomaram lugar nos tratores. João da Esmeralda e Zé da Binha num, Neca Palito e Tonho da Cuíca noutro. A lua iluminava o rosto de cada um. Homens feitos, machucados e machucadores da vida, ganhavam a expressão terna de criança em sonho. Os tratores obedeciam à ordem, ao mando de ir, ir, ir... Estavam bêbados de alegria, tontos de cachaça. Estavam indo, indo, indo... Como voltar e para que voltar? E num momento breve, breve e fugaz como é a alegria, um estrondo...

Tio Totó, apesar de muitos anos vividos, tinha o ouvido muito apurado. Acordou atordoado com o barulho e chamou Maria-Velha. Maria-Nova acordou também e pressentiu que alguma coisa de muito grave tinha acontecido. Tio Totó suava e tremia. Deus meu, o que teria acontecido? Estariam jogando uma bomba na favela? Se fosse, ele nem se importaria, assim seu corpo ficaria por ali mesmo.

Tio Totó, cada vez mais, tornava-se íntimo da morte, despojava-se da esperança. Revivia o que passara, coisas tristes, tristes mesmo! Algumas alegres num tempo de esperanças. Foi justamente a esperança que ele procurou. Procurou a esperança bem lá no fundo do coração e só escutou a batida seca e dura do órgão. Eta coração velho! Quando iria terminar tudo aquilo? Seria agora? Quem sabe uma bomba estava sendo jogada na favela? Um dia ele escutou falar no rádio de uma bomba que foi jogada num lugar aí no estrangeiro (no Brasil, não acontece dessas coisas) e que arrasou com uma cidade. Quem escapou, ficou doente, de doença brava no corpo e no sangue. Será que estava acontecendo o mesmo na favela? Se acontecesse o mesmo, sentiria, não por ele, mas pelas crianças, por Maria-Nova que trazia dentro de si tanta vida. Quem sabe para Maria-Nova tudo seria diferente? Cutucou mais um pouco o coração, levou a mão no peito tentando localizar a esperança, apenas o coração batia no vazio. Relembrou de quando chegou são, salvo e sozinho, à outra banda do rio e a sensação era a mesma. Vieram as amargas lembranças. O coração batia apertado, sufocado, desesperançado dentro do peito. Foram tantas dores: esta, a outra, aqueloutra, aquelainda, o acabar com a favela. Sentiu a presença da menina no quarto ao lado. Condoído de si, de Maria-Nova e da vida, chorou.

Maria-Velha escutou os últimos sons do estrondo ecoando pelo ar, acordou apavorada com o chamado choroso de Tio Totó. Olhou o velho e viu que as lágrimas corriam. Teve vontade de abraçá-lo, tal como se abraça um menino. Abraçou-o com os olhos e com o desejo somente. É, Totó está ficando velho, deu para ter medo! Eu também ando meio amedrontada. O que será da vida? Não da vida dele ou da minha! A nossa já está quase vivida. O que será da de Maria-Nova? O que será da vida dos que estão para vir?

A menina crescia. Crescia violentamente por dentro. Era magra e esguia. Seus ossinhos do ombro ameaçavam furar o vestidinho tão gasto. Maria-Nova estava sendo forjada a ferro e a fogo. A vida não brincava com ela nem ela brincava com a vida. Ela tão nova e já vivia mesmo. Muita coisa, nada ainda, talvez ela já tivesse definido. Sabia, porém, que aquela dor toda não era só sua. Era impossível carregar anos e anos tudo aquilo sobre os ombros. Sabia de vidas acontecendo no silêncio. Sabia que era preciso pôr tudo para fora, porém como, como? Maria-Nova estava sendo forjada a ferro e fogo.

A morte, às vezes, não se faz anunciar. Chega traiçoeira. O corpo pode deitar-se belo, feliz e amanhã não se levantar, amanhã estar preso ao nada. Às vezes ela manda recado, o sujeito adoece, padece. Às vezes ela faz uma festa no dia anterior. Canta, brinca e sonha no meio do seu ou dos seus escolhidos, e depois os leva traiçoeiramente. E daí? O que os vivos podem fazer? Chorar, viver, cantar, viver, padecer, viver, blasfemar, viver, rezar, viver, viver, viver, viver...

A morte havia sido tão sem graça, tão putamente sem graça, brutalmente traiçoeira. Os corpos dos homens-vadios-meninos estavam despedaçados pelo chão e as partes dos dois tratores também. Eles estavam misturados ao pó, à poeira. As pessoas chegavam, tentavam olhar, não viam, adivinhavam apenas. Não dava para reconhecer os corpos, os mortos. Também para quê? A gente conhecia a vida de cada um. Veio a polícia depois de muita espera, recolheu todos, e em tudo ficou um vazio. Era uma dor intensa. Era mais uma falta que a vida cometia.

O dia passou lento e arrastado. Todos empurravam o tempo com a barriga. Tínhamos medo do final da tarde. A noite já vinha, vinha...

O que seria de todos nós? Dos vadios, dos trabalhadores, dos grandes e pequeninos? O que seria da noite, do samba que aqueles homens-vadios-meninos faziam brinquedo, folguedo? A noite caiu sobre todos nós, vazia dos sons e vazia da vida deles.

Havia as misérias e as grandezas. Havia o amigo e o inimigo, o leal e o traiçoeiro. Havia muito de amor e de ódio. Havia muito de riqueza na pobreza, na miséria de cada um. E havia também a miséria que transcende a própria miséria, a miséria do egoísmo, da inveja, do ódio, do desejo assassino de liquidar, de acabar com o irmão.

Havia a miséria do homem que ainda não se descobriu homem. Do homem que não se descobriu em si próprio nem no outro. Havia a miséria que nem o amor de pessoas como Vó Rita, como Bondade e como Negro Alírio, que chegou ali bem mais tarde, podia resolver. Havia a miséria das pessoas que trazem o coração trancado para qualquer ato de amor. E essas pessoas acabavam atraindo para si o ódio de todos os demais. Fuinha era uma dessas pessoas.

Maria-Nova tinha muito medo de Fuinha. Sempre que passava em frente ao barraco dele apertava os passos. Uns diziam que ele era louco, outros que era maldoso, perverso, e que nada de louco tinha. Conversava, andava, falava, trabalhava normalmente. Aparecia no armazém de Seu Ladislau, tomava banho ali naqueles quartinhos em que os homens se banhavam, bebia uns goles de pinga, falava e até ria um pouco para alguns, e ia embora. Quem sofria nas mãos dele era sua mulher e sua filha Fuizinha. Vivia espancando as duas, espancava por tudo e por nada. Os vizinhos mais próximos acordavam altas horas da noite com o grito das duas. Era mau o Fuinha. Diz que ele tirava a roupa das duas e batia até sangrar. Se elas choravam baixinho, batia até que elas gritassem e depois batia até que elas calassem.

A Fuizinha crescia temerosa, arredia. Uma vez Maria--Nova parou perto da cerca de arame farpado que havia em volta do barracão e Fuizinha ameaçou soltar alguma palavra, quase confidência de tão baixo que era. Maria-Nova escutou a voz do Fuinha e fugiu. Escutou depois um baque surdo no chão e os gritos da menina. Fuizinha crescia entre o choro e a pancadaria. Tinha o rosto todo marcado. E sua mãe era passiva e temerosa. Eles não recebiam nem faziam visitas. Bondade sempre passava por lá, demorava um pouco, mas nunca lhe permitiram ficar para dormir. Ele nunca esquecia das duas. Sempre ia lá no dia ou após o dia em que misteriosamente sumia da favela e retornava com dinheiro, alimento e balas para as crianças. Bondade era o único que as visitava. Vó Rita, antes, visitava-as também, mas depois que ela passou a viver com a Outra, nunca mais visitou ninguém.

Um dia a mãe de Fuizinha amanheceu adormecida, morta. Os vizinhos tinham escutado a pancadaria na noite anterior. A mulher gritara, gritara, a Fuizinha também, também. Ouviu-se a voz do Fuinha:

– Agora silêncio.

A mulher silenciou de vez. Fuizinha ainda muito haveria de gritar. Ia crescendo apesar das dores, ia vivendo apesar da morte da mãe e da violência que sofria do pai carrasco. Ele era dono de tudo. Era dono da mulher e da vida. Dispôs da vida da mulher até à morte. Agora dispunha da vida da filha. Só que a filha, ele queria bem viva, bem ardente. Era o dono, o macho, mulher é para isto mesmo. Mulher é para tudo. Mulher é para a gente bater, mulher é para apanhar, mulher é para gozar, assim pensava ele. O Fuinha era tarado, usava a própria filha.

Maria-Nova tinha pavor dele. Houve quem tentasse falar com ele e Fuinha cinicamente respondeu que a filha era dele e que ele fazia com ela o que bem quisesse. No dia em que Fuizinha tentou aproximar-se de Maria-Nova, de noite, os gritos dela foram mais dilacerantes ainda.

Desde a morte dos homens-vadios-meninos não se ouvia mais falar em desfavelamento. Já haviam-se passado quase quatro meses. Os tratores estavam no mesmo lugar, de pernas para cima. Chovera muito nos últimos dias, viera depois o sol. O barro assentara e, como o terreno era em declive, tinha se tornado uma pista escorregadia. As crianças, por não terem brinquedos prontos, acabavam sendo muito criativas. Com isso arrumavam tábuas, empoleiravam-se em cima, e vinham pelo morro abaixo. Era uma brincadeira perigosa, mas, moleques como eram, só viviam em perigo. Se não conseguissem desviar-se, bateriam de cara e tudo em cima do trator. Foi isso que aconteceu. Brandino vinha voando, leve, voando como uma pluma. O trator ali parado, pesadão. O rosto, o corpo, o menino frágil. Não a morte instantânea, rápida, como havia acontecido com os homens-vadios-meninos, não houve. Brandino foi para o hospital, ficou meses. Voltou sim, calado, morto-vivo, bobo, alheio, paralítico.

A mãe pegava o menino, colocava num carrinho de madeira, pegava os três menores e saía a pedir--ganhar esmolas.

Foi Negro Alírio que juntou o pessoal da favela e com eles foi até a firma construtora exigir a retirada dos tratores. Aquilo era um eterno perigo. O que aconteceu com Brandino poderia acontecer com outro menino qualquer. O pessoal da favela já estava chateado com tudo. Aqueles tratores só eram lembranças de dores. Dores pelos que já haviam ido, pela morte dos homens-vadios-meninos e pelo que aconteceu com Brandino.

Se os tratores não fossem logo retirados, os favelados iriam desmontá-los e vender as peças no ferro-velho. Daria um bom dinheiro.

Umas duas semanas depois que a comitiva esteve na firma construtora exigindo a retirada dos tratores parados, novos tratores chegaram. Chegaram bravios, recomeçando o trabalho. Só se ouvia barulho e sentia poeira. O desfavelamento recomeçava. Todos aqueles que já tivessem recebido as tábuas e tijolos ou a quantia de dinheiro oferecida pela firma construtora deveriam desocupar o beco.

As mudanças, trouxas, latas, meninos e grandes, cachorros, desamparo, merda e merda, tudo era acomodado desacomodadamente em cima do caminhão (também oferecido pela firma construtora). Os vizinhos próximos observavam a partida, sabendo que daí a uns dias seriam eles. O caminhão levantava poeira. Bom era que, com pó caindo nos olhos da gente, se podia chorar como se nada fosse.

Custódia saía dali com a alma pesada. A alma e o corpo. O caminhão fazia a manobra. A poeira se levantava encontrando-se com mais a poeira que já estava no ar provocada pelos tratores. Custódia custou a subir no caminhão. Sua barriga doía. Alisou o ventre sentindo saudade da criança que estava ali até uns dias antes. Havia sido uma violência, mas tinha medo de falar alguma coisa. As lágrimas caíam. Quis esconder o rosto nas mãos, limpou os olhos e reclamou da poeira. Olhou em sua frente e lá estava a sua sogra com a Bíblia na mão. O ventre doeu-lhe outra vez. Sentiu sair de si uma golfada de sangue. Iria desmaiar? Abriu bem os olhos e só viu a poeira. Meu Deus, eu não posso desmaiar agora! Só tem ela, eu e as crianças. Não posso. Agarrou-se às últimas forças que tinha. O sangue borbulhava quente entre suas pernas. Eu preciso aguentar, é preciso viver! A poeira, a Bíblia, a sogra, as crianças, tudo estava ficando tão apagado, tão distante. O sangue borbulhando quente. Será que havia sido o movimento para subir no caminhão? Olhou para os lados procurando Tonho. Ele havia ficado em algum botequim da favela se despedindo do pessoal. Também, ele ali ajudaria tão pouco!... Se a sogra ainda não estivesse, talvez fizesse alguma coisa. Por que o Tonho deixava que a mãe mandasse tanto nele? Velha hipócrita e sempre com a Bíblia na mão. Custódia divisava somente o livro, aquele ponto preto ali na sua frente. Dentro da Bíblia estava escrito assim:

E tu, mulher, parirás em dores!

O ventre dela doía. Havia parido uns dias antes seu bebê de quase sete meses. Parido entre dores e à força. Tonho chegara bêbado da rua, porém ela nem ligava mais. Conhecera Tonho bêbado e casara com ele assim mesmo. Ele ainda era melhor que os outros, trabalhava e só bebia aos sábados e domingos. Sábado, meio-dia, quando saía da construção, passava pelo armazém de Seu Ladislau, pagava a conta da semana anterior, e fazia outra. O moleque, filho seu, que sempre estava ali na rua, na bolinha de gude, levava os minguados mantimentos para casa. Tonho bebia o cansaço da semana anterior e o cansaço da semana posterior. Bebia pelo mísero salário. Bebia pelas compras, os quilinhos de arroz quebradinho, o feijão duro que era preciso pôr de molho, o açúcar que era regado durante toda a semana. As crianças viviam pedindo a Custódia para fazer doce. Mas o açúcar era pouco, mal dava para o café ralo e a mamadeira do menor. Os meninos eram inventivos em tudo. Criavam seus brinquedos. Tinham sonhos lindos! Inventavam doces e picolés. Pegavam a banana e enfiavam num pedaço de pau. Chupavam picolé de banana. Tonho bebia também os sonhos dos meninos. Sonhos tão pobres mas que ele não podia realizar. Uma semana ou outra, em vez de beber, eram doces e biscoitos que ele levava para casa. Então ficava de garganta seca, engolindo o ódio que tinha da vida. Eram os piores dias. Pelo menos bêbado, as coisas não eram tão cruas assim.

Alisando a barriga, Custódia relembra de Tonho chegando bêbado, caindo, rolando, esbravejando. A sogra gritando:

– Ó Custódia, ó Custódia! Ó Custódia, vem segurar o Tonho!

Ela, barriguda, pesada, de sete meses, parecendo nove completos, segura o homem. Na confusão, empurrões, chutes e murros em sua barriga. O Tonho caindo, Custódia também, a sogra em cima dela. Custódia já tinha tido quatro filhos dele, quatro barrigas ao lado dele. Tonho nunca esbarrara nela sequer.

A sogra gritava:

– Tonho, olha a barriga dela! Olha, Tonho, olha! E, entretanto, era Dona Santina que ia em cima dela. Custódia esquivava-se e dizia:

– Ai, Dona Santina!

Ela entre os dentes resmungava:

– Cala, desgraçada, cala!

Custódia apanhava da sogra que gritava como se fosse Tonho o agressor. Ele nada percebia. No outro dia, Custódia não se levantou de dor. À tarde, pariu uma menina morta. Dona Santina pegou a Bíblia e orou. Enterrou a criança no fundo do barraco. Lembrou, porém, que naquela área os tratores passariam assim que eles saíssem de lá. Desenterrou, embrulhou o defuntinho em jornais e saiu. Custódia viu tudo. Tonho roncava, de dentro dele saía o hálito de cachaça. Tudo isto acontecera havia uma semana somente. Custódia não entendia por que Dona Santina fizera aquilo. Bem que falavam que Dona Santina, apesar da Bíblia, era muito má. Toda vez que Custódia ficava de barriga, a sogra tornava-se sua inimiga. Os vizinhos nem notavam. Todo mundo pensava só no desfavelamento que recomeçara.

Tonho, quando soube, bebeu e bebeu mais ainda. A sogra percebeu que a nora estava perdendo sangue.

– Quando a gente descer, eu cuido disto. Até lá a gente ora.

Dona Santina abriu a Bíblia e pousou a mão na barriga de Custódia.

O caminhão venceu as últimas nuvens de poeira. Ganhava o asfalto que o levaria para o outro lado da cidade, onde uma nova favela florescia.

Vó Rita estava desolada, só que escondia. Não podia nem queria deixar transparecer a tristeza. A Outra andava tão amargurada ultimamente! Aliás, todos andavam amargurados. Não era para menos, o desfavelamento recomeçara. E recomeçara bravo. Os homens exigiam a saída rapidamente dos moradores. Que se ajuntassem logo os trapos! Quem escolhia os tijolos e as tábuas, pelo menos, tinha um pouco de material que permitia erguer um barraco em outra favela qualquer. Vó Rita viu o caminhão sumir. Em duas semanas, mais de cinquenta famílias que já tinham recebido a ordem de despejo antes da morte dos homens-vadios--meninos, tiveram de sair rapidamente. Quem havia escolhido o dinheiro, já havia gasto tudo e a situação estava pior.

Vó Rita ficou pensando em Custódia. Achou a moça muito abatida e com a barriga um pouco menor. Quis indagar, mas calou ante a tristeza que viu estampada no rosto dela. Assustou-se. A moça já ia para o oitavo mês e até a semana passada estava tão grande! Era o seu quinto filho. Ela punha sempre um barrigão. Os três primeiros quem amparou foi ela. Quem cortou o umbigo e deu os primeiros banhos também. Vó Rita era a parteira da favela. Muito marmanjão e marmanjona haviam sido nenéns nas mãos de Vó Rita. Todos gostavam dela. Quantas vezes um fuzuê estava armado e, se ouviam a voz de Vó Rita por perto, cada contendor tomava o seu rumo. Não era preciso ela dizer nada. Era só ouvir a voz de Vó Rita que o valentão ou a valentona se desarmava todo. O amor de Vó Rita desarmava qualquer um. Diz que até o Fuinha tinha certo respeito por ela. Antes de Vó Rita ir morar com a Outra, só ela e o Bondade entravam em casa dele.

Vó Rita intuía que alguma coisa de grave havia acontecido com Custódia. E por que ninguém falou? Os filhos dela todos eram de tempo. Bom organismo tinha a mulher. Este não nasceria por suas mãos. Suas mãos agora tinham outro ocupar. Pensou na Outra e sorriu. Desde o dia em que decidira ficar com ela, teve de deixar de amparar os que estavam chegando ao mundo. Todo mundo sentiu, porém todos entenderam. A única pessoa capaz de acolher a Outra, só seria ela. Só Vó Rita tinha o coração tão grande! Só Vó Rita não deixaria nunca a Outra tão em meio à solidão.

Tio Totó envelhecia, perdia as esperanças. Via a vida dando tudo errado. Via o rio levando a vida de roldão. Via a própria vida levando a vida de roldão. As pedras pontiagudas batendo no seu peito. Mais e mais famílias estavam indo embora. E quando chegasse a vez da família dele? O que seria de todos? Maria-Velha, Maria-Nova, Mãe Joana e os filhos? Todos estavam sempre juntos, iriam juntos, menos ele. Tantos anos havia que já estava ali. Viera com Nega Tuína, ali tivera os filhos e ali também os perdera. Chegara havia mais de cinquenta anos. Tio Totó envelhecia, não pelos anos passados, mas pelo tempo contado em dores que a vida ofertara para ele.

Maria-Nova andava pelos terrenos recentemente desocupados com poeira-tristeza-lágrimas nos olhos. No local onde estavam os barracos dos que tinham ido pela manhã, agora só restava um grande vazio. Era como um corpo que aos poucos fosse perdendo os pedaços. Sentiu dores. Pensou em Vó Rita. Teve vontade de ir ter com ela, mas não podia. Voltou para casa, cabisbaixa, afundando o pé na terra solta, na poeira. Cada pé que afundava no macio da terra, sentia no peito o peso de nada. Não posso chorar. Quero guardar esta dor.

Lá estava Tio Totó, cabeça alva e baixa. Tio Totó ouviu passos. Viu pés magros, poeirentos e ágeis, debaixo de seus olhos. Adivinhou o dono. Pediu a Maria-Nova que não falasse nada.

– Eu sei, mais alguns se foram! Vou contar para você como aqui cheguei.

Totó e Nega Tuína vieram caminhando para a capital. Não tinham pressa para chegar. Em uma fazenda demoraram tanto, que Nega Tuína até pensou que plantariam moradia ali. Totó trabalhava no campo, na roça, ora na plantação, ora na colheita. Nega Tuína na cozinha, mas fazenda houve em que trabalharam lado a lado no campo. Alguns fazendeiros, sabedores que se tratava de marido e mulher, arrumavam um quartinho ou uma casinha para os dois.

Um desejo, porém, machucava, incomodava o peito e o ventre de Nega Tuína. Totó era farto de risos e sorrisos e, apesar de suas outras farturas, não haviam conseguido ainda um filho, e já estavam havia cinco anos juntos. Totó se incomodava pouco pelos filhos não terem chegado. Trabalhava, juntava dinheiro. Chegaria à cidade e compraria um barraquinho. Os filhos viriam então. *Não se atormente não, Nega Tuína, os filhos estão a caminho!*

Com algumas coisinhas e certa quantia de dinheiro guardada numa capanguinha feita de saco de farinha de trigo e com as primeiras ânsias de vômito, Nega Tuína e Totó chegaram à cidade. Era um tempo feliz para ele! Uma vida tão nova e sonhos tão grandes que ele esquecera um pouco as dores passadas. Nunca contou a Nega Tuína que um dia tivera mulher e filho. Nunca contou que o rio levara tudo de roldão. Ele só viria repetir esta história anos e anos mais tarde para as duas Marias.

Totó estava se sentindo feliz. Gostava da cidade, daquele burburinho todo tão diferente das fazendas. Já pelo interior havia carros, os fazendeiros quase sempre possuíam um, mas na cidade parecia haver um para cada pessoa, tantos eram eles. Sonhos novos brotavam na cabeça de Totó. Vinha sabendo onde iria ficar. Um amigo estava esperando por eles. Tinha dinheiro suficiente que dava para comprar um barraco. Iria aprender uma profissão. Aprenderia a fazer casas de tijolos. Na roça sabia fazer casa de pau a pique.

– Aqui na capital carece da gente aprender tudo, da gente aprender um modo novo de viver... Na roça, as casas são distantes uma das outras; aqui, a gente é vizinho um do outro, mesmo sem querer ser. Quando cheguei na favela, ainda tinha muito lugar vazio. Essa minha casa era só um quartinho, fui aumentando aos poucos. Hoje você vê, menina, são quatro cômodos; comecei aqui com Nega Tuína. Ela pôs tanta barriga nos gêmeos. A gente brincava que no final a barriga dela não caberia dentro daquele único quarto. Tinha dia que dava até pena de ver Nega Tuína. Tão miudinha que era, estava grande, enorme, os pés e as pernas inchadas como pipa de vinho. Dava dó de vê. Ela muito caprichosa, o quartinho, as coisas e ela sempre limpa. Eu olhava Nega Tuína e sentia alguma coisa ruim no peito. Aí, eu dava risos e sorrisos, dava de rir, de gargalhar. Sabia que Nega Tuína gostava dos risos meus. Nega Tuína ria, acompanhava-me, até que, um dia, o riso dela passou para choro e, então, ela falou: "Totó, eu sei que são dois, uma menina e um menino. E sei mais: você é que vai sozinho cuidar desses filhos. Eu sei que, daqui uns dias, eu vou..."

Totó cortou a gargalhada que estava na garganta. Sentiu e reviu uma cena havia tanto tempo esquecida, escondida no peito. Uma cena que só anos mais tarde ele contaria para Maria-Velha e para Maria-Nova. Totó tonteou e sentou. Olhou a barriga de Nega Tuína, os gêmeos mexeram respondendo ao olhar do pai. Ele se sentiu novamente são, salvo e sozinho.

Dora era uma mulher muito bonita. Mulata, alta, e os homens, quando queriam bulir com ela, cantarolavam um pedacinho de uma música assim:

Dora rainha do frevo e do maracatu...

Ela ria feliz. Seu barracão era bem na esquina de um beco que se bifurcava em três becos que originavam outras ruelas. Passar na porta de Dora era um caminho obrigatório para quase todos. Ela era muito conhecida. Era também uma das rezadeiras, das tiradeiras oficiais de terço. Tinha uma voz alta e melodiosa. O corpo melodioso também. Os homens viviam assediando o barraco e o corpo de Dora. Ela vivia feliz. De tempos em tempos, tinha o seu homem, companheiro certo. Eles viviam ali, depois não sei por que partiam. Não se ouvia briga ou choro. O que se ouvia cá de fora, vindo de dentro do barraco de Dora, era sussurro, gemidos prazeirosos de amor. Quem ali passasse altas horas da noite, e parasse, ouvia tudo. Havia os homens solitários que, passando, colavam o corpo e os ouvidos nas paredes. E ali mesmo sob a lua e as estrelas, na prática solitária do autocarinho, embalados pelos gemidos de Dora nos braços do homem seu, resvalavam-se pela parede do barraco quase morrendo de prazer.

Negro Alírio encontrou pouso no barraco, no corpo e no coração de Dora. O dia estava acabando de nascer, o sol despontava sem graça, ainda molhado da noite chuvosa. O tempo estava úmido, fazia frio. Ele havia trocado de roupa na casa de Tio Totó. Maria-Velha lhe dera uma caneca de café quente com pedaços de broa de fubá. Maria-Nova, que menina diferente, esguia, olhos curiosos, expressão entre séria e triste! A menina havia olhado para ele de modo tão intenso, que ele se assustou um pouco. Parece que ela perguntava, pedia alguma coisa. Foi a menina que lhe arrumara a cama. Ele passara o resto da noite em casa de Tio Totó. Ficara impressionado com o velho. Ficara impressionado com tudo: com o barracão caiado de branco, com uma cruz de madeira na parede, com a caixa de congada, com a coroa de rei. Até bem pouco tempo, Tio Totó dançava congada e brincava nas festas de Reis. Dentro do barracão, conviviam três gerações. Tio Totó era, talvez, uns quarenta anos mais velho que Maria-Velha. Olhou os três e pensou que, se soubesse pintar, faria um belo quadro. Reteve a cena, teve a sensação de que diante de si estava a eternidade. Pensou que Deus é eterno sim, mas o homem de certa forma também é. A menina parecia ser a continuação dos dois. O velho e a mulher se eternizavam por meio da menina.

Cedo, cedinho, junto com o sol que tentava enxugar--se, Negro Alírio levantou e saiu sem destino. Caminhou um pouco, sempre em frente. Sentiu cheiro de biscoito frito e de café quente no ar. E, quando deu por si, estava entrando por uma porta adentro. Deu de cara a cara, de corpo a corpo com Dora.

A amizade, o amor rápido nasceu entre os dois. Entre goles de café e mordidas de biscoitos, a vida, a história dos dois foi sendo colocada. Cada qual tomava a vida do outro, que já não era tão do outro, e sim também sua.

Dora relembrou, com lágrimas nos olhos, as brincadeiras de roda, a mãe fazendo os quitutes das patroas. O pai que saíra pelo mundo afora. O menino que ela tivera e entregara ao homem com quem deitara uma vez só e criara barriga. Relembrou a cantiga infantil:

Fui na fonte do Tororó [...]
A Dora que há de ser meu par...

Realmente ela fora par de muitos homens pela vida e muitos homens haviam sido seu par. Tudo muito bom. Já nova, quando os seios eram apenas duas manchas mais escuras sobre a pele do peito, antes mesmo de eles crescerem embelezando-lhe o corpo, Dora já se permitia com os moleques de sua idade. Aprendeu cedo a deixar a passividade da mulher que só recebe a mão do homem sobre si e começou a vasculhar o corpo dos homens. Tocava com a mão e com a boca. Foi de muitos homens e muitos homens foram seus. Contava isto a Negro Alírio como contava tudo de sua vida: a fome, o pai que um dia saíra de casa e nunca mais voltara, o espanhol rico que queria casar com ela... Casar mesmo, papel, igreja e tudo. Ela quase casou. Mas teria de ir embora, para longe, para a terra dele e não poderia levar a mãe. A mãe já era tão sozinha! Esqueceu o homem, o casamento, a terra dele. Esqueceu tudo. Três meses depois, a mãe morreu. Dora aprendeu a fazer os quitutes com a mãe. Cozinhava bem. Casa para trabalhar nunca faltava, nem homem também. Um dia, um homem, que estava visitando a patroa, achou muita graça em Dora. Dora gostou dele, parecia o espanhol. Deitou-se com ele. Depois de já haver deitado com tantos homens, depois de já haver deitado meses e meses com o espanhol e nunca haver pensado sequer em filho, se descobriu grávida. O homem, de tempos em tempos, visitava a família. Viu a barriga de Dora, perguntou se era dele. Dora confirmou. Tudo certo, tudo bem. Se Dora quisesse, ele ficaria com a criança. Criaria. Ela poderia ver a criança, estar com ela quando quisesse. Poderiam casar, se ela quisesse também. Dora não queria nada, nem casar, nem ter filhos, nem a barriga. Dora não queria nada. Deitou aquele dia e deitava sempre, apenas querendo o prazer. Entregou o menino ao homem e saiu daquela casa. Continuou a vida, era feliz. Era feliz sempre que podia. Ela sempre podia ser feliz.

Negro Alírio escutava a história de Dora, gostara da mulher. Não entendia o fato de se ter um filho e não criar apego. Se bem que ela até que tinha suas razões. Ele mesmo já deitara com tantas mulheres, só buscando o amor, só buscando o prazer. Filho quase sempre vem sem querer. E a mulher sempre carrega tudo. Carrega a barriga e as dificuldades. Ele nunca parara para pensar se alguma vez teria feito filho ou não. Também, se tivesse feito, a parceira na certa teria dito. Sempre viveu e conviveu um certo tempo com as mulheres que tivera. Estava gostando das histórias de Dora, embora perguntasse por que uma mulher tão inteligente, tão ativa, não tivesse construído para si um outro tipo de história. E se doeu com isto. Olhou para Dora, a mulher falava com o corpo todo. Teve vontade de jogá-la em cima da cama e fazer com ela uma outra história. A história dele, dela e, quem sabe, de um filho. Receou que ela também estivesse com o mesmo desejo. Ele queria, como queria, mas não agora! Agora o que ele mais queria era falar dele e saber dela também. Enquanto Dora falou de tudo, desde a sua infância, Negro Alírio omitiu uma parte de sua vida. Começou sua história a partir do momento em que já era adulto. Não sabia bem por quê, mas sua vida de criança, o seu tempo de crescer, o de aprender a ler, os fatos acontecidos então, seus pais, sua casa, a roça, o campo, os amigos, os companheiros, tudo tão importante, Negro Alírio calou. Não sabia por quê, mas se calou.

Dora também gostou da história de Negro Alírio. Nem o espanhol, que era um homem bastante viajado, tinha uma vida bonita assim. Imagine só, um homem tão pobre quanto ela, tão simples, e que sabia ler. Conhecia poucas pessoas negras que soubessem ler. Achou mais interessante ainda porque, só depois de muito conversarem, foi que se lembraram de falar os nomes. Ela disse se chamar Dora. Ela gostava muito do nome dela, aliás Dora gostava muito de si própria. Ele disse se chamar Negro Alírio. Negro deveria ser apelido e Alírio o nome, mas ele dissera Negro Alírio. Gostou de ouvir a palavra negro pronunciada por um negro, pois o termo negro, ela só ouvia na voz de branco, e só para xingar: negro safado; negro filho da puta, negro baderneiro e tantos defeitos mais!

À medida que Negro Alírio contava sua história, ela se lembrava de Vó Rita e de Bondade, pessoas que viviam só para fazer o bem. Ele falava pausado, calmo, como se estivesse falando para si mesmo.

O primeiro trabalho que Negro Alírio arranjara numa cidade grande foi numa construção civil. Sabia um pouco do serviço de pedreiro e carpinteiro e, acima de tudo, não tinha medo de pegar no trabalho. Vivia bem com os companheiros. Dormia mesmo na construção e aproveitava a noite para ler e para ensinar a quem quisesse aprender um pouco. Em pouco tempo, todos os operários dali estavam querendo aprender a ler, muitos foram procurar um curso noturno. Era ele quem os ajudava a decifrar os deveres. Assim foi na construção, na padaria, na fábrica de tecidos; onde quer que passasse, Negro Alírio motivava todo mundo a aprender a ler. Antes de tudo, explicava que era preciso que todos aprendessem a ler a realidade, o modo de vida em que todos viviam. Em cada local de trabalho, Negro Alírio fazia novos irmãos, se bem que entre os patrões ele sempre ganhava novos inimigos.

Dora gostou muito também quando Negro Alírio contou que, lá no estado onde ele morava, até uns dias atrás, tinha mar. O último trabalho dele era quase no mar, ele via as águas imensas todos os dias. Trabalhava no porto, carregando e descarregando navios. Às vezes dava vontade de se esconder em algum e seguir viagem. Não podia, era muito perigoso. Os homens, os companheiros de cais, sabiam tudo de sindicato, de leis, direitos e deveres. Eram rudes e sábios. Eram fortes e não recuavam. Tinham consciência de suas forças. Conseguiam incomodar, quando faziam greve, o Brasil inteiro. Só que sofriam represálias depois das greves. Às vezes, um ou dois meses após, eram mandados embora um por um dos líderes, aqueles que mais sobressaíam. Havia companheiros fiéis que eram capazes de morrer pelos outros. Esses tinham feito a escolha na vida de lutar pela causa operária e não desistiam por nada. Perdiam o emprego... Pensa que viravam ovelhinhas? Nunca. Voltavam mais fortalecidos ainda para um novo local de trabalho.

– Lá no porto, havia companheiros assim, normalmente falavam do Partido. Convidavam-me para as reuniões. Eu fui algumas vezes, não cheguei a entrar para o Partido. Até estava pensando muito sobre o assunto, mas nem tive tempo para decidir.

"Um dia tudo ficou pior. Um companheiro nosso foi acusado de roubo e despedido. Ficamos furiosos. A gente sabia que o motivo não era aquele. Titão tinha sido um dos principais, uns dos mais ativos na greve que havia paralisado o nosso serviço durante um longo tempo. Na época, nada fizeram com o Titão. Passou um mês e agora Titão sofria represálias. Fizemos mil pedidos. Fizemos um abaixo-assinado pedindo a volta de Titão e eles negaram. Então, paramos todos naquele dia. Cruzamos os braços. Nós nos negamos todos a trabalhar. Só trabalharíamos quando Titão fosse aceito novamente. Sabe o que eles fizeram? Sabe qual a resposta que nos deram? Que, se não trabalhássemos, havia navios para carregar e descarregar, nossos salários seriam suspensos. Ninguém moveu uma palha e a situação continuou por mais uma semana. A gente ia para o porto e ficava lá fora. Não entrávamos nem deixávamos ninguém entrar.

"Um dia recebemos um comunicado que dez de nós estavam sendo chamados ao escritório. Eu estava também. A gente sabia o que nos esperava. Nós sabíamos o que iria nos acontecer. Íamos temerosos; eu não, porque o meu compromisso era só com a minha sobrevivência, mas, entre nós, a maioria tem mulher e filhos. Os companheiros cá fora também sabiam o que nos iria acontecer. Era isto mesmo, deram-nos alguns minutos de prazo: se dentro de dez minutos, nós e os outros não voltássemos a trabalhar, seríamos mandados embora sem direito a nada, porque éramos nós que estávamos liderando o levante. Tínhamos alguns minutos para voltar e convencer os companheiros a retomarem o trabalho. E Titão não seria readmitido mesmo. Saímos do escritório tristes, revoltados e vencidos. Em sã consciência não queríamos reiniciar o trabalho, parar a greve sem termos conseguido a volta de Titão. O que queríamos era continuar a pressão. Havia companheiros que achavam que a gente estava chovendo no molhado. Que os fortes são os fortes e os fracos são os fracos. E que a situação não muda nunca. Citavam como exemplo o que tinha acontecido com Titão e que poderia acontecer com a gente também. Tínhamos até medo de ouvir estes colegas. Tínhamos medo de que a fala deles fosse verdade, pois é preciso crer, é preciso desesperadamente crer. Era nisto tudo que eu vinha pensando ao lado dos companheiros.

"Entretanto, os que tinham ficado do lado de fora do porto, diante da nossa demora, entraram e iniciaram a quebradeira. Tudo rápido, entravam pelos navios destruindo tudo. Não tivemos tempo nem de pedir que parassem ou continuassem a loucura. Rápido também surgia a polícia. Cassetete, bomba de gás lacrimogêneo, cães, um corre-corre louco. Soube depois que a polícia estava atrás de mim. Estava sendo procurado como subversivo. Sei de companheiros meus que sumiram. Fugiram? Evaporaram? Não sei! Vim! Quando isto aconteceu? Não tem nem duas semanas. Não sei se algum dia eu verei novamente esses companheiros. Sei, porém, é que, se eu não encontrar com aqueles rostos mais nunca, outros companheiros, outros irmãos, hei de encontrar aqui ou em outro lugar."

Ditinha olhava as joias da patroa e seus olhos reluziam mais que as pedras preciosas.

Continuava a arrumação do quarto, varria debaixo da cama, olhava o teto à procura de teias de aranha. Bonita aquela teia de aranha! Bem tecida. Um raio de sol batia nos finos fios trançados, fazendo-a brilhar que nem as joias. Ditinha olhava a teia, a aranha e as joias. Limpou a poeira dos armários, guardou os sapatos na sapateira, esticou cuidadosamente o lençol sobre a cama. Foi à gaveta, buscou o cobre-leito amarelo-ouro e acabou de arrumar a cama. Pensou nas joias. "Será que eu gostaria de ter umas joias dessas? Também, se tivesse, não teria vestidos e sapatos que combinassem. E se eu tivesse vestidos e sapatos que combinassem, não saberia como arrumar meus cabelos."

Olhou-se no espelho e sentiu-se tão feia, mais feia do que normalmente se sentia. "E se eu tivesse vestidos e sapatos e soubesse arrumar os meus cabelos? (Ditinha detestava o cabelo dela.) Mesmo assim eu não assentaria com essas joias." Olhou novamente as joias. Brilhavam, brilhavam. Chegou perto da caixa com as mãos para trás. Havia uma pedra verde tão bonita, tão suave, que até parecia macia. "Mãos para trás", pensou, "a gente vê com os olhos, não com as mãos. Também se eu tivesse umas joias dessas, onde é que eu iria? Só saio para trabalhar, ir à missa, às rezas, aos festivais de bola e às festas da favela. Como e onde eu usaria essas joias? Claro que se eu tivesse joias, eu seria rica como Dona Laura, eu não seria eu", riu de si mesma. Quis tocar nas joias um pouquinho. Teve medo, recuou.

Ditinha buscou desviar o olhar das joias e calmamente desfez a teia de aranha. A aranha tentou correr pela parede. Ela rapidamente varreu a aranha para o chão, e, mais rápida ainda, pisou no bichinho com força, com muita força, como se o inseto fosse um monstro que pudesse ressurgir por debaixo de seus pés. Pisava na aranha mordendo os lábios e com os olhos fixos nas joias.

Dona Laura entrou no quarto, pegou as joias, colocou o colar no pescoço. Enfiava o anel e a pulseira. Experimentava, somente à noite é que seria a festa. Ditinha varreu novamente o chão, os restos da aranha. Queria olhar a patroa, que se admirava e ensaiava poses com as joias, diante do espelho. Não pôde, a limpeza do quarto estava completa. Abaixou, pegou o lixo, a pá e a vassoura. Saiu, puxou a porta e começou a limpar o corredor.

Terminado o serviço diário, Ditinha tirou o avental, tomou um banho rápido, jantou e procurou o caminho de casa. Antes, a patroa, junto com ela, havia vistoriado toda a casa. Estava tudo um brinco! A casa reluzia! Ela elogiou o trabalho de Ditinha, gostava do trabalho da moça. Ela era esperta, fazia tudo como se mandava. Não havia uma gota de poeira no ar. À noite, a festa seria linda! Os convidados gostariam de tudo. A cozinheira ainda estava preparando os últimos pratos. Ditinha olhou para a patroa e sentiu o ar de aprovação no rosto dela. Como D. Laura era bonita! Muito alta, loira, com os olhos da cor daquela pedra das joias. Ditinha gostava muito de D. Laura e D. Laura gostava muito do trabalho de Ditinha. Olhando e admirando a beleza de Dona Laura, Ditinha se sentiu mais feia ainda. Baixou os olhos envergonhada de si mesma. E foi com alívio que Ditinha escutou a voz de D. Laura dizer:

– Pode ir, não falte amanhã, porque você terá muito que fazer!

Não era grande a distância entre a mansão da patroa e o barraco de Ditinha. O bairro nobre e a favela eram vizinhos. Ditinha, em poucos minutos, estaria em casa e isto a contrariou um pouco. Resolveu dar uma volta pelo quarteirão antes de tomar o rumo da favela. E assim fez. Adiou um pouco o seu encontro com a miséria. No barraco de Ditinha, moravam ela, seus três filhos, sua irmã e o pai paralítico. Dois cômodos, a cozinha e o quarto-sala onde dormiam todos. Lá fora, ficava a privada, a fossa. Seus meninos tinham treze, dez e oito anos. Estavam na escola havia séculos e não saíam do primeiro ano. E o que mais assustava era que Beto estava virando homem. Ele ficava o dia todo zanzando pela favela, tinha abandonado a escola. Ela temia que o Zé e o Nico fizessem a mesma coisa. Nico era o menor e ainda obedecia ao avô paralítico, que, mesmo em cima da cadeira de rodas, tinha a obrigação de olhar pelos três. Sua irmã, Toninha, era uma desmiolada. Enquanto ela era menor, teve um pouco de autoridade sobre ela. Conseguiu que ela ficasse dentro de casa, olhando as crianças e cuidando do pai, enquanto ela, Ditinha, saía para trabalhar. Mas assim ela fez dezoito anos, não quis saber nem de pai, nem de irmã nem de sobrinhos. O medo de Ditinha era que, daí a pouco, a irmã estivesse na mesma situação dela. Três filhos, a miséria, e totalmente sozinha.

Quando Ditinha apanhou a primeira barriga, não tinha ainda completado quinze anos. Havia-se deitado com seu namorado, uma brincadeira apenas e que terminou muito mal. A mãe, naquela época, já havia morrido, o pai ainda não estava paralítico, trabalhava como servente de pedreiro. Ele não fez alarde algum. Aliás, o pai não fazia alarde de nada. Trabalhava, comprava o que o dinheiro dava e bebia no final de semana. Chegava bêbado, dormia e roncava. Quando o ronco estava muito alto, impedindo que ela e Toninha dormissem, Ditinha se levantava, mudava o pai de posição e dormiam os três. Nada restava a fazer a não ser dormir. Quando se descobriu grávida, Ditinha tomou o diabo, bebeu chá de limão-capeta com vinagre, pulou, dançou, sambou e não abortou. Pensou em Vó Rita, a parteira de confiança da favela. Vó Rita só trazia crianças ao mundo e por nada, nada mesmo, nem por muito dinheiro, Vó Rita provocava aborto. Diz que, uma vez, Vó Rita foi procurada por uma dona rica que pagaria muito dinheiro para que ela fizesse um aborto na filha dela e Vó Rita recusou. Vó Rita só não recusava o amor. Vó Rita não compactuava com a morte nunca, só compactuava com a vida.

A barriga de Ditinha cresceu. Beto estava com treze anos. Ela temia pelo futuro de Beto. E depois vieram o Zé, o Nico. A mesma coisa, ela só faltou tomar o diabo em pó para abortar, entretanto a barriga crescia. Na última gravidez, ela já sabendo que remédios, chás de nada adiantavam, pois tinha o organismo forte, de mulher parideira, Ditinha foi mais longe. Maria Cosme não era escrupulosa como Vó Rita. Maria Cosme enfiou uma sonda por dentro de Ditinha. A sonda ficou lá dentro quase dez dias, até que numa manhã ela começou a sangrar. Sangrou tanto que foi parar no hospital. Os médicos queriam que ela dissesse o nome da "fazedeira de anjinhos". Ela não disse mesmo; pelo contrário, se preciso fosse, se pudesse, até esconder Maria Cosme, ela esconderia. Tiveram que retirar o útero e o ovário de Ditinha. Ela respirou aliviada, pelo menos não criaria barriga mais nunca.

Quando Ditinha chegou ao seu barraco, Beto e Zé não estavam em casa. Mandou que Nico fosse atrás deles; o menor voltou chorando e sozinho. Estava tão cansada, olhou o pai paralítico e viu seus olhos vermelhos, congestionados de cachaça. O velho pediu mais, ela deu. Ah! Coitado do homem! Tão aí parado! Sem nenhum prazer! O médico já dissera que cachaça estava abreviando a vida dele. Ditinha pensou: "E o que valia viver? Se a cachaça abreviava a vida do pai, era melhor que ele bebesse mais e mais até morrer."

Ditinha estava cansada, humilhada. Olhou seu barraco, uma sujeira. As roupas amontoadas pelos cantos. Olhou as paredes, teias de aranha e picumãs. Um cheiro forte vinha da fossa. Era preciso jogar um pouco de cal virgem sobre as bostas. Esperou as crianças um pouco mais. Não chegaram. Tirou o pai da cadeira de rodas e o colocou na cama. O pai fedia a sujeira e a cachaça. Lembrou da patroa tão limpa e tão linda como as joias. Pensou que o dia de amanhã seria duro. A casa estaria de pernas pro ar depois da festa. Seriam tantas louças! Na certa sobrariam doces e bolos. A patroa haveria de dividir com ela, com a cozinheira e com a babá. Traria para casa e seria a vez de os olhos dos filhos brilharem mais que qualquer joia. Ela seria um pouquinho feliz.

Quando os dois filhos maiores de Ditinha chegaram, ela, o pai dela e o menor já estavam no terceiro sono.

Ditinha acordou com o corpo todo doído. O pai dormia em uma cama de solteiro com o neto maior. Ela dormia em outra cama com os dois menores. Estava cada vez mais difícil dividir a cama com os filhos. Eles estavam crescendo tanto! Quando Toninha estava em casa, a irmã dormia no chão. Ditinha se levantou, preparou a comida do pai paralítico e dos filhos. Um pouco de arroz e farofa com um ovo. Muitas vezes, quando ela estava na casa da patroa e ia almoçar, lembrava da comida que havia deixado em casa. O alimento crescia-lhe na boca, formava um bolo e não descia. Com lágrimas nos olhos, ela era obrigada a jogar aquela refeição tão boa no lixo, pensando nos seus que estavam com fome em casa. Tinha vontade de pôr tudo numa lata e pedir para levar para casa, mas tinha vergonha. Tinha muita vergonha de Dona Laura.

Ditinha saiu em direção à casa de Dona Laura, ia quase correndo e levava no peito só mágoa. A casa estava uma loucura! Bandejas, pratinhos com restos de salgadinhos e doces espalhados. O chão, que no dia anterior fora caprichosamente encerado, estava escorregadio de doces e bebidas. A festa de aniversário de Dona Laura tinha sido muito boa. Ditinha gostou daquela bagunça toda. Teria muito trabalho e o pensamento não poderia parar, pirraçar dentro de sua cabeça.

Quando Dona Laura acordou, a casa estava toda arrumada. Ela elogiou a esperteza da moça. E mandou que, assim que ela acabasse de lavar as louças, fosse arrumar o quarto e ajeitar os presentes no armário. Ditinha queria acabar logo para ver as coisas que a patroa ganhara. Então ela lembrou que na semana anterior fora o seu aniversário. Ela, Ditinha, tinha feito 29 anos. E ninguém lembrou, nem ela, nem o pai, nem os filhos, nem Toninha, sua irmã, que já não aparecia havia um mês. Ah! também pouca diferença fazia lembrar ou não lembrar...

Ditinha entrou no quarto da patroa com o coração aos pulos. Puxa! Quantos presentes! Até parecia loja. Ela ia guardando tudo. Na prateleira, os perfumes que fariam Dona Laura ficar mais perfumada ainda. Aqui, as joias, colares, brincos, broches. Na outra, as fazendas, sedas, panos finos, lenços. Olha que linda esta caixinha de música! Tantas e tantas coisas. Aniversário tem que ser assim! Aos poucos o quarto ia perdendo o ar, o aspecto de casa após festa e tudo ia se encaixando em seu devido lugar. Na cama, a colcha amarelo-ouro bem estendidinha. Os sapatos na sapateira. A caixinha de joias ali, vazia, em cima da penteadeira. As joias abandonadas perto da caixinha. Será que era para ela guardar as joias também? Será? Ela sabia onde a caixinha devia ser colocada depois. As outras que a patroa havia ganho na noite anterior, ela guardou junto aos presentes. Aquela era para guardar também? D. Laura gostava muito daquelas joias. Dizia serem joias de família. Haviam sido da avó, da avó de sua avó. E a caixinha ali, vazia, as joias ao lado.

O coração, a face, as mãos de Ditinha ardiam. Num segundo eterno, Ditinha pegou todas as joias e guardou na caixinha. Colocou a pedra verde suave, que até parecia macia, por cima de tudo. Fechou a caixinha. Ia guardá-la no armário. O quarto estava lindo novamente. Obrigação cumprida. Colocou a caixinha de joias na terceira prateleira; mas, antes, porém, apanhou a pedra verde, tão bonita, tão suave, que até parecia macia. Era um broche. Ditinha colocou o broche no peito. Só que do lado de dentro do peito, junto aos seios, sob o sutiã encardido. A pedra não era tão macia assim, estava machucando-lhe o peito.

Filó Gazogênia tossia, tossia. Ia golfar novamente, já sentia o gosto de sangue na boca. Meu Deus, quando iria terminar tudo aquilo? Sabia que seu fim estava perto. Um perto-longe que estava demorando tanto! Estava com sede. Olhou a moringa, ao lado estava a canequinha de lata. Era só estender o braço. Sonhou que estava conseguindo fazer este movimento. A boca continuava seca. Filó Gazogênia tossia. Pensou na filha e na neta. Estavam as duas internadas e já havia meses. Doentes do mesmo jeito dela. Sentiu remorsos, sentiu-se culpada pela doença delas. Quem havia adoecido primeiro tinha sido ela. A filha trabalhava fora e a neta cuidava dela, até que um dia as duas adoeceram também. O patrão da filha conseguiu internação para as duas. Estava tentando arrumar para ela. Era difícil, morreria antes. O sangue veio-lhe à boca, estava cansada, ultimamente nem com o esforço do pensamento podia. Não aguentou cuspir. Sentiu-se só, era o início da morte. Diz que a morte é um momento tão sozinho! Pensou em Bondade, que sempre estava com ela nos últimos tempos. Aquele homem era um santo! Pensou em Vó Rita, aquela mulher era uma santa! Pensou também em Negro Alírio que chegara havia pouco tempo à favela e que já conhecia quase todos. Negro Alírio fora várias vezes visitá-la e sempre levava algum alimento. Sentiu falta do Bondade. O pensamento se voltou para Vó Rita. Havia tempos, anos que ela conhecera Vó Rita. Aliás, Vó Rita, Tio Totó, ela e alguns outros davam a impressão de que sempre estiveram ali. De que até nasceram, ou melhor, de que até geraram a favela. Vó Rita sempre foi sua amiga. Vó Rita era amiga de todos. Diziam que Vó Rita tinha o coração grande. Tinha mesmo!

O sangue escorria pela boca de Filó Gazogênia e o peito arfava... *Deus meu, eu não quero ir assim, tão sozinha!* Como estariam a filha e a neta? Filó Gazogênia, num esforço imenso, ameaçou abrir os olhos. Pensou, entretanto, que seria melhor continuar com eles fechados. Abrir os olhos para quê? Ela já conhecia de cor o seu barraco. Duas camas: a dela e a da filha, que dormia junto com a neta. No cantinho, o fogão de lenha e a prateleira de madeira onde estavam as latas de mantimentos vazias, as louças velhas, as canequinhas de latas, e as duas panelas, uma de ferro e outra de barro. Durante toda a doença, uma das latas vazias, a de "gordura de coco carioca", ficava ali parada, olhando para ela. A cada um que chegava, ela desejava pedir que tirasse a lata dali. Calava, depois pensariam que ela, além de tuberculosa, estivesse doida. De olhos fechados, viu a lata de "gordura de coco carioca" e teve ódio, muito ódio. Gordura e a vida tão magra! Desviou o pensamento, não é bom morrer com ódio. A sede queimava-lhe a garganta, apesar do gosto adocicado de sangue na boca.

Bondade estava demorando tanto! Filó Gazogênia sentia saudades dos tempos em que vivia. Estava cansada, a falta de ar, um peso enorme nas costas e no peito. Seriam os pensamentos que estavam fazendo com que ela se cansasse tanto? Fechou os olhos que já estavam fechados, tentando dormir. Era tudo silêncio. Bondade chegou. Entrou de mansinho no barraco de Filó Gazogênia. Abriu a janela e escancarou a porta. O sol entrou iluminando tudo. Filó Gazogênia sentiu a presença dele. O peito arfava, mas ela se sentiu mais tranquila. Não iria atravessar a última porta tão sozinha. Sabia que estes eram os seus últimos momentos. Sentiu saudades da vida, apesar de tudo. Lembrou-se da filha, da neta e do homem que um dia teve e que já tinha morrido havia tanto tempo. O sol esquentava-lhe o corpo tão vazio de carne e quase vazio de vida. Teve vontade de chorar, sentiu um misto de prazer e dor. Sabia que Bondade estava ali olhando intensamente para ela. Estava com sede, muita sede. Bondade adivinhou seu último desejo. Foi até à moringa e encheu a canequinha. E cumprindo o ritual de vida e de morte, lento e solene, susteve a cabeça de Filó Gazogênia. Levou a água aos pequenos goles à boca da mulher. Era muito esforço, o derradeiro que ela fazia. O último gole ela já não aguentou engolir, retendo-o na boca, guardando, sentindo o gosto de terra, sabor impregnado na água guardada em vasilha de barro.

Bondade, no último gesto do ritual, baixou lentamente a cabeça de Filó Gazogênia. O silêncio estava em tudo e em todos. Os vizinhos mais próximos, vendo a janela e a porta tão escancaradamente abertas, chegavam. Filó Gazogênia não percebia mais nada. Atravessava a última porta. O rosto suavizou apesar da dor. Nos lábios, talvez um ligeiro sorriso.

Maria-Nova assistia pela janela do barraco de Filó Gazogênia à passagem da mulher. Queria sair dali e não conseguia. Estava acabando de subir o morro, sentiu um aperto no coração. Sempre que passava por ali, lembrava de Celita, a neta de Filó Gazogênia, que regulava idade com ela e que estava doente no hospital, igual à mãe e à velha. Viu a janela e a porta do quarto abertas e adivinhou a tristeza. Viu os vizinhos de Filó Gazogênia indo. Maria-Nova foi também e da janela assistiu a tudo. Ficou impressionada com a magreza da velha. Olhou a mão da mulher, conseguiu contar os ossos. Como uma pessoa podia morrer assim? Filó Gazogênia sempre trabalhou. Quando estava boa de saúde, a filha saía para trabalhar e a velha ficava tomando conta da neta e ainda lavava roupas para fora. Ficava sempre perto de Maria-Velha e de Mãe Joana. As tinas das três moravam constantemente na torneira. Havia lavadeiras que nem levavam as tinas para casa, porque voltariam no outro dia, no outro dia, voltariam sempre. Quando uma lavadeira não estava, as amigas usavam a tina dela. Filó Gazogênia não vem hoje? Não, ela não virá mais nunca! É preciso manter a tina cheia, as madeiras molhadas. Filó Gazogênia cansou, encheu-se da vida. A morte veio esvaziando tudo.

Maria-Nova olhava a magreza da velha, a magreza do quarto, a magreza da vida. Sentiu um nó na garganta e as lágrimas caíram como gotas de desesperança, sentiu um dó dos velhos! Lembrou de Tio Totó e de Maria-Velha. Pensou que seria velha um dia. O que seria quando crescesse? Mãe Joana, Maria-Velha, Tio Tatão, todos diziam que a vida para ela seria diferente. Seria?! Afinal ela estava estudando. Maria-Nova apertou os livros e os cadernos contra o peito, ali estava a sua salvação. Ela gostava de aprender; de ir à escola, não. Tinha medo e vergonha de tudo, dos colegas, dos professores. Despistava, transformava o medo e a vergonha em coragem. Tinha uma vantagem sobre os colegas: lia muito. Lia e comparava as coisas. Comparava tudo e sempre chegava a algum ponto. Uma vez, uma professora de História falou alto, no meio de todos, que ela era a única aluna que chegava às conclusões. E sempre a professora de português elogiava as suas composições. A desesperança, a tristeza continuavam a cair dos olhos de Maria-Nova turvando-lhe a visão. Ela queria ver tudo! Bondade solenemente

segurava a cabeça de Filó Gazogênia. Se Vó Rita
não estivesse vivendo com a Outra, seria ela quem
estaria ali. Sentiu falta de Vó Rita. Não! Vó Rita
não morreria nunca! Era velha, mas não sentiu dó
dela. Vó Rita não lhe passava nunca a impressão de
estar sozinha. Olhou a roupa surrada de Bondade,
a leveza dos gestos dele e pensou que estivesse vivendo um triste sonho. Ele levava a canequinha
com água à boca da velha. Por que Filó Gazogênia
morria? Por que as pessoas morriam? Ela haveria
de morrer um dia também. Tio Tatão dizia que as
pessoas morrem, mas não morrem, continuam nas
outras. Ele dizia também que ela precisava se realizar. Deveria buscar uma outra vida e deixar explo-
dir tudo de bom que havia nela. Um dia ele disse,
quase como se estivesse dando uma ordem (Tio Tatão era nervoso, neurótico de guerra):

– Menina, o mundo, a vida, tudo está aí! Nossa gente
não tem conseguido quase nada. Todos aqueles que
morreram sem se realizar, todos os negros escravi-
zados de ontem, os supostamente livres de hoje, se
libertam na vida de cada um de nós, que consegue
viver, que consegue se realizar. A sua vida, menina,
não pode ser só sua. Muitos vão se libertar, vão se
realizar por meio de você. Os gemidos estão sempre presentes. É preciso ter os ouvidos, os olhos e o
coração abertos.

Lá estava Maria-Nova de olhos, ouvidos e coração
bem abertos, tomando em si os últimos movimen-
tos de vida-morte de Filó Gazogênia. Tinha a impressão de que a velha morria feliz. Feliz por quê?
Feliz porque morria?! Maria-Nova não queria

morrer. O peito estava a arrebentar de dor. Deus meu, Filó Gazogênia morria! Tantos outros haviam morrido também. Sentiu medo, muito medo. Dos outros becos da favela, as pessoas iam aparecendo pouco a pouco. Algumas iam caladas, tristes; outras conversando, tristes também. Filó Gazogênia era conhecida de todos e conseguira fazer amigos. Morte. Todos aqueles que estavam indo e voltando morreriam um dia também. Filó Gazogênia sorria na hora da morte. Por quê? Havia também quem, no desespero da vida, encontra na morte a única saída. Lembrou-se de um fato ocorrido havia uma semana. Apressou o passo, no lugar do barraco ainda havia alguns vestígios de cinzas. Foi pelo fogo que Jorge Balalaika resolveu as dores de sua vida.

Jorge Balalaika havia chegado à favela fazia um bom tempo. Viera com a mulher Rute e os dois filhos. Trabalhava em um açougue e era invejado por muitos, pois comia carne todos os dias. Os sebos, os nervos, tudo que não se conseguia vender, e as carnes malcheirosas que sobravam, o dono do açougue repartia com os empregados. Se na panela faltassem o arroz e o feijão, havia a farofa feita com os retalhinhos de carne-sebo-gordura. Os meninos de Jorge Balalaika eram gordinhos. Rute Balalaika, mulher meio calada, não se dava com os vizinhos. Às vezes, saía, não dizia nunca aonde ia. Os meninos ali mesmo ficavam. Jorge chegava, dava o banho, a comida e na cama punha as crianças. Podia ser que ela voltasse logo, podia ser que nem voltasse no mesmo dia. Um dia, nunca mais voltou. Jorge Balalaika saía cedo e voltava tarde. Os meninos largados. Ele não queria ver nem ouvir os amigos. Tinha medo dos deboches, dos risos. Diziam que Rute havia deixado Jorge Balalaika por um padeiro. As piadinhas eram que Rute deixara a carne pelo pão. "Boba, deveria ficar com os dois e comeria pão com carne todos os dias", diziam outros. A carne e o coração de Jorge ferviam. Ele tinha o fogo, na alma e no corpo. Saudades, saudades mesmo de Rute. Jorge Balalaika gostava muito da mulher. Um dia de dor maior, passou pela venda de Sô Ladislau. Bebeu, bebeu, cambaleou. Cambaleou e bebeu mais, bebeu. Despediu-se dizendo que ia afoguear a dor. Todos entenderam que ele ia pôr fogo, ia pôr mais cachaça ainda na goela e no peito. Chegou a casa, chamou os filhos, mandou que eles fossem dormir em casa de primo Joel, que morava num beco não muito distante dali. "Fala com o Primo Joel que eu mando um abraço e que vou pôr fogo na dor." Quando primo Joel chegou ao barraco de Jorge Balalaika, o homem tinha jogado álcool no corpo, na casa e ateado fogo. Os becos mais próximos escutaram os soluços, os gritos do homem queimando a sua dor.

Primo Joel sempre achara Jorge Balalaika meio bobo. Loucura, idiotice de Jorge se matar por Rute. Mas Jorge era assim mesmo, quando se apegava, e pegava uma mulher, ia fundo, desde o tempo de rapazinho. Enquanto ele, Joel, namorava tudo quanto era mocinha da redondeza, Jorge ficava grudado só em uma, durante tempos e tempos.

Por causa disso, tivera poucas mulheres. Era pouco conhecedor das manhas, dos dengos, do jogo da vida. Ele não. Ele, Joel, é que não dormia com os olhos de ninguém. Dormia com os seus próprios e, quando um estava fechado, o outro estava aberto, abertinho. Boba da mulher que pensasse em enganá-lo, em brincar com ele. Estava perdida, perdidinha.

– Comigo mulher alguma vem com gracinha, não! Não vê como eu vivo? Três debaixo do mesmo teto. Eu sei que o povo fala, e eu com isso? Não obrigo ninguém, não amarro ninguém. Se as três ficam é porque querem, é porque gostam! Primeiro foi a Balbina, topei com ela um dia na praça. Conversa vai, conversa vem, e a dita aceitou o convite e veio morar comigo. Um dia ela pediu se Mundica podia ficar uns tempos com a gente, até arranjar uma casa para trabalhar. Mundica veio. Ficou. Arranjou uma casa sim. Arranjou o barraco meu e de Balbina. Arranjou trabalho e foi ficando, não queria dormir no emprego, preferia dormir no barraco com a gente. Tinha noites que Balbina saía para as rezas de maio, Mundica não queria ir. Ficava, eu também. Balbina chegava das rezas e não queria fazer maus pensamentos. Deitava na cama comigo. Mundica dormia feliz, satisfeita, calma, com a natureza domada no cômodo ao lado. Tava bom ter as duas. O chato era ser escondido, era ser correndo, porque a outra tava para chegar. E um dia a outra chegou, demorei mais com a Mundica e Balbina chegou. Pronto, pensei, tá formado o fuzuê! E qual nada! Espanto e susto tão grande o meu! Balbina falou só isto : "Sai, Mundica que agora sou eu!" Tempos depois, as duas quiseram trazer a última. A mais nova que havia ficado lá na roça. Chegou a nova, muito nova. A mocinha, jeito acanhado, medroso, mas no escuro bem assanhadinha. Lica, bonita, a carne durinha. Um dia, Balbina foi para a reza; Mundica, que nunca ia, foi também. Lica dormia no cômodo ao lado. As duas ainda estavam atravessando a soleira da porta e Lica me chamou. Os vizinhos falam. E eu com isso? Falo para as três, só não quero filhos. Vai ser uma confusão dos diabos. Balbina sabe preparar garrafadas, aprendeu com um tio que era curandeiro. Todos os meses, num dia que não sei qual, elas tomam aquilo. Já avisei, só não quero filhos!

Muita gente na favela nem falava com Primo Joel, as mulheres. Os homens não se importavam, tinham Joel como amigo. E elogiavam a coragem dele. Primo Joel ria, ria, ria.

As três estavam sempre juntas, costumavam aparecer nas rezas. Nunca, porém, os santos iam para o barraco delas. Elas nunca pediam. Todos diziam que elas viviam em pecado mortal.

Balbina, Mundica e Lica, irmãs, mulheres de Primo Joel.

Maria-Nova ficou deprimida com a morte de Filó Gazogênia. A menina já era dada à tristeza, já tinha no sangue o banzo, já guardava no peito saudades de uma vida longínqua, não vivida. A morte de Filó Gazogênia parece que pegou todos de surpresa, embora todos soubessem que ela estava para morrer. Todos sabiam que, mais dia menos dia, a mulher faria a passagem. Havia alguns, que, mais condoídos do estado da velha, pediam a Deus que esta passagem se desse o mais rápido possível. Filó Gazogênia sabia também que o fim estava próximo. Um dia chamou Vó Rita, queria ver a amiga pela última vez. Vó Rita foi e nem falou nada com a Outra. Ela não gostava de falar de doença e de morte com a Outra. Contudo era quase impossível falar de alegria. A Outra já estava tão triste, já estava com a tristeza entranhada no sangue.

Vó Rita chegou ao barraco de Filó Gazogênia e parou na soleira da porta. Filó Gazogênia acenou para que ela entrasse. Vó Rita entrou. Ela sabia que Filó Gazogênia morreria mesmo. Entrou e deu um beijo leve na face da doente. Saiu tão rápido quanto entrou.

O plano de desfavelamento também aborrecia e confundia a todos. Havia um ano que a coisa estava acontecendo. A favela era grande e haveria de durar muito mais. Dava a impressão de que nem eles sabiam direito por que estavam erradicando a favela. Diziam que era para construir um hospital ou uma companhia de gás, um grande clube, talvez. As famílias estavam mudando havia um ano, mas, tempo antes, já havia a ameaça de tudo que iria acontecer. De tempos em tempos, apareciam por lá engenheiros para medir a área. Não se sabia se os pretensos donos seriam de uma companhia particular ou se gente do governo. Vinha o medo. E quando o plano de desfavelamento aconteceu na prática é que fomos descobrir que os pretensos donos éramos nós. Eles, sim, é que eram os donos verdadeiros ou se portavam como tais. Nós, cada qual ajuntava seus trapos e, mesmo estando com o coração cheio de dor, mesmo estando com o coração cheio de rancor, partíamos.

Em época de eleição, apareciam por lá candidatos a votos e juravam que fariam alguma coisa por nós. Que a lei usucapião existia, que nós não sairíamos de lá nunca, se votássemos neles. E tome de panfletos e tome de retratos e tome de faixas. As paredes dos barracos ficavam enfeitadas. Os fundos das fossas também. As propagandas, jornais velhos, panfletos, depois de soletradamente lidos, quando lidos, cumpriam outra função: a higienização da bunda. Os rostos e olhos daqueles candidatos que antes nunca havíamos visto e que depois não veríamos mais, principalmente se vencessem nas urnas, perseguiam-nos o tempo todo, tornavam-se então íntimos de nós. Estavam espalhados por todas as partes. As mulheres e as crianças da favela ficavam votando de brincadeira nos candidatos que elas achavam de rosto mais bonito. Um dia, apareceu um candidato negro. Espalhou também seus papeizinhos. Poucos escutavam o que o homem tinha a dizer. Diziam mesmo que ele não ganharia nunca. Parecia ser pobre como nós. No concurso de beleza, obteve poucos votos.

Os que não venciam, costumavam voltar em outras ocasiões com os mesmos pedidos e as mesmas promessas. Voltavam acusando aqueles que haviam ganho. Perguntavam o que os outros estavam fazendo por nós. Nada! Eles mesmos respondiam. Não queriam nem ouvir as nossas vozes. E voltavam ao lero-lero. "Se eu ganhar, se o tal partido ganhar, a situação de vocês será diferente." Às vezes ganhavam; quando isto acontecia, a nossa situação era a mesma, nós éramos os que não ganhavam nunca.

Quando Tio Totó soube da morte de Filó Gazogênia, teve muita inveja da velha. Quanta gente já tinha morrido. Gente até mais nova que ele. Gente doente e gente sã. Ele já estava tão cansado. Seu corpo pedia terra. Ele bem que queria morrer, só que sem dor, sem sofrimento para ele e para os outros. Um dia, foi visitar Filó Gazogênia, que já estava doente. Ela havia chegado à favela na mesma época que ele. Chegou ainda com o marido, forte, sacudidona. Agora, aquele graveto em cima da cama. Uma mulher boa que nunca se incomodou com ninguém. O marido morreu, nem outro homem arrumou, vivia para a filha e para a neta. Ela sentia tanto medo do desfavelamento que nem gostava de falar sobre o assunto. Da cama escutava o barulho dos tratores, e apenas perguntava, enquanto ainda podia falar:

– O bicho taí comendo a gente?

Tanta gente morria e ele continuava ali molemente duro, já trazendo a quase morte por dentro. Era tanta dor acumulada no peito. Tanta pedra pontiaguda. Mais uma vez, ele estava são, salvo e sozinho na outra banda do rio. Maria-Velha estava ali, lado a lado, porém ela não estava tão velha quanto ele. Ainda tinha um pouco de tempo para cultivar alguma esperança. Ela ainda aguentaria ver tudo cair novamente. Ele não; a única queda que aguentaria seria a do seu próprio corpo se libertando do peso-vida.

Ditinha chegou a casa e soube da morte de Filó Gazogênia. O barraco da velha era do outro lado da favela. Chamou os filhos, só os dois menores estavam por ali, repartiu os doces. Guardou um pouco para o filho mais velho. Deu um salgadinho para o pai, encheu o copo dele de pinga. O velho paralítico tomou o líquido de uma vez só, pegou um pastelzinho e ficou brincando com ele na boca. Ditinha provou um brigadeiro e sentiu um gosto de fel. A pedra sob o sutiã machucava-lhe o peito. Saiu calada, não comentou nada com o pai sobre a morte de Filó Gazogênia. Ele já sabia, estava mais bêbado do que nos outros dias. Ditinha sentia um medo intenso, tinha calafrios. Não era por medo da mulher morta e não era por medo da morte. Era por medo da vida. O que seria dela agora? Que merda fizera, o que faria com aquela pedra? Pensou em devolver para Dona Laura. Poderia voltar lá, naquele instante mesmo, contar tudo e pedir perdão para a patroa. E a vergonha?! Ela já tinha tanta vergonha de Dona Laura. Julgava a patroa tão limpa, ela tão suja. E agora, ainda por cima, ladra.

Ditinha entrou no barraco de Filó Gazogênia, olhou tudo, reconhecendo a pobreza, tão companheira sua. Como a mulher tinha ficado magra! Parecia outra pessoa. Lembrou de Filó Gazogênia nos tempos de saúde. Mulher trabalhadeira, honesta, e morria tão pobre! Sentiu novamente a pedra machucando-lhe o peito. Queria esquecer a pedra, a merda que havia feito. Pregou os olhos na face da velha. Filó Gazogênia tinha os olhos fechados, mas Ditinha tinha a impressão de que a morta olhava para a pedra que estava escondida sob o seu sutiã. Levantou-se depressa, parecia que todos aqueles que estavam ali fazendo quarto à defunta sabiam que ela tinha uma pedra-broche roubada machucando-lhe o peito. Saiu depressa e pôs-se a caminhar. A favela era grande e toda recortada por becos. Alguns becos tinham saída em outros becos, outros não tinham saída nunca. Eram como ruas estreitas que se cruzavam, que se bifurcavam. Notícia de morte corria longe, e de casamento também.

Havia meninas virgens na favela que sonhavam com o príncipe encantado. Havia casamentos, festas, vestidos de noiva e lançamento do buquê para o ar. Havia barracões de madeira e zinco, que o noivo cuidadosamente preparava para sua eleita. Havia sonhos que não cabiam em barracos, que não se realizavam jamais. Havia a ilusão para se aguentar a viver.

Ditinha tinha o broche a machucar-lhe a carne do peito. Quis tirá-lo dali. Pensou: *Vou pôr onde?* Estava cansada, tinha calafrios como se estivesse com febre. O que fazer com aquele broche? Buscou na lembrança se teria alguém a quem pudesse contar a merda que havia feito. Não! Não havia ninguém. Sentiu-se perdida no mundo. Não tinha uma amiga, alguém a quem ela pudesse contar o segredo. Havia andado tanto, havia tempos que não cruzava todos os becos da favela. Lembrou-se da rua da casa de Dona Laura. Larga e cheia de árvores. Viu um beco à sua frente. Entrou nele procurando a saída. Saiu em cima de um monturo de lixo. O beco acabava ali, era preciso voltar. Sentiu novamente o gosto amargo na boca a ponto de fazê-la salivar. Olhou o lixo, sentiu nojo de si própria e começou a chorar.

Ditinha estava muito cansada, tinha o corpo moído. Entrara e saíra em vários becos da favela: Beco do Rala-Bunda, Beco da Cumadre Joaquina, Beco dos Dois Irmãos, Beco das Duas Marias, Beco do Sem Alma, Beco dos Namorados, Beco do Tio Totó, Beco da Dona Tacila, Beco das Irmãs Cuícas, Beco da Cruz-Credo... Becos, becos e becos. Algumas pessoas, ao encontrarem com Ditinha, perguntavam se ela estava procurando os filhos. Ela procurava uma saída.

Já era tarde da noite, quando Ditinha voltou para casa. O pai e os três filhos estavam dormindo. O peito lhe ardia. O sutiã apertava e havia a pedra a ferir-lhe o seio. Teve medo de tirar a blusa e levantar o sutiã. Parecia que o pai e os filhos fingiam estar dormindo e estavam vigiando tudo. Pegou a lamparina e foi até o quartinho. Ali do lado de fora era a fossa. Uma rajada de vento apagou a chama de luz. Voltou lá dentro e pegou uma caixa de fósforos. Balançou-a, era o último palito. Foi até o quartinho com a lamparina e o fósforo na mão. Dentro do quartinho, o cheiro de bosta e mijo subia. Que merda! Que vida! Estava tudo difícil e ela complicou-se mais ainda pegando o broche de Dona Laura. O vento insistia pelas fendas. Riscou logo o fósforo, acendendo a lamparina, a luz tremulava firme. Colocou a lamparina no chão. Suspendeu e tirou lentamente a blusa. Abriu o sutiã devagarinho como mulher negaceando homem. O peito ardia. Tirou o sutiã segurando firme a pedra. Levantou a lamparina e olhou o seio. Ali onde a pedra estivera, o peito estava em carne viva. Da carne machucada uma ferida viva sangrava assustando mais ainda o temor que Ditinha sentia naquele momento.

Ditinha não era mulher de muitos medos. Nem a morte temia. Conviveu com a morte no seu ventre na ocasião de sua última gravidez. O aborto mal feito quase lhe tirara a vida. No hospital, em meio de hemorragias, lembrou-se do pai paralítico, dos filhos e da irmã. Pensou: "se eu morrer, a vida deles continua". Via o pai na cadeira de rodas. A decadência, a morte próxima dele era visível e não se assustava também. Um dia, o filho do meio foi atacado de pneumonia e desenganado pelos médicos. Ditinha sofreu, mas, se a morte é inevitável, que seja breve então. O menino escapou e ela ficou feliz. Não era mulher de muitos medos, mas agora, olhando o seio machucado, o broche na mão, a chama da lamparina em sombra numa brincadeira louca pela parede, Ditinha tinha um medo que lhe percorria todo o corpo, que ia da cabeça aos pés. O cheiro da fossa, a merda que ela havia feito! E a polícia? Dona Laura, quando descobrisse, haveria de entregá-la à polícia. Os filhos, o que seria dos filhos dela? Beto estava virando um homem. Com treze anos já tinha jeito de rapaz. E o pai? E a irmã? Eram pobres, miseráveis, mas na família nunca tivera um ladrão. O que fazer agora? O peito, o broche... O alfinete do broche havia rasgado o seio dela. Como tudo ardia! O cheiro da fossa ardia em seu nariz. A ardência ia até à alma. A chama da lamparina, irresponsavelmente, brincava em sombra sobre a parede esburacada. De repente, a chama iluminou o fundo da fossa. Num lampejo Ditinha viu as merdas supitando lá no fundo. E num lampejo mais rápido ainda, o broche tão bonito, de pedra verde tão suave que até parecia macia, sumiu em meio às bostas.

Ao amanhecer o dia, a dor aumentara no seio de Ditinha que tinha calafrios de febre. Viu que não aguentaria trabalhar. Pensou em mandar o Beto dar um recado à Dona Laura, mas teve medo. Passou o tempo todo na cama e pensava ser da polícia qualquer movimento lá fora. O dia passou desesperadamente tranquilo. No dia seguinte, sentia-se mais abatida ainda e o seio inchara. O gosto de fel na boca insistia. Continuou na cama. Beto acordou indagando o que ela estava sentindo e ela reclamou do cansaço. O menino olhou carinhosamente para a mãe. Levantou-se e coou o café. Ditinha se sentiu mais amparada, bebeu saboreando vagarosamente a bebida na canequinha. Seu filho haveria de ter vida de gente! Como? Estava quase corajosa novamente. Sentiu uma fisgada no seio. Lembrou da pedra verde, tão suave, que até parecia macia, afundando nas bostas... Deitou e fechou os olhos. Pensou: *Se é para vir a polícia, que venha logo!* Não apareceu mais em Dona Laura. A patroa sabia onde ela morava. Não exatamente onde era o barracão. O pai, paralítico e bêbado, perdera a noção do tempo. Já quase desligado da vida, não percebia as coisas rotineiras e muito menos as mudanças. Os filhos perguntaram se ela não iria mais trabalhar. Iria, sim, daí a uns dias. "Quero apenas descansar um pouco", respondeu Ditinha. No quinto dia a bomba explodiu. A dor, a vergonha explodindo dentro e fora do peito de Ditinha.

Policiais chegaram à favela procurando uma falsa doméstica. Chamava-se Ditinha, tinha um pai paralítico, uma irmã e três filhos. Todo mundo que era indagado e já malicioso das surpresas da vida negava conhecê-la. Já haviam rondado vários becos. No Beco do João Sem Braços encontraram um molecote. Indagaram se ele conhecia Ditinha.

– Conheço, é minha mãe.

Os policiais se aproximaram, seguraram o menino e deram rapidamente a ordem. "Leva a gente até à sua casa ou levamos você!"

Na delegacia havia presos que gritavam. Ditinha pensou: *Será que é para confessarem o crime?*

Quando lhe perguntaram se ela tinha roubado a pedra e o que fizera com ela, Ditinha respondeu que não. Tanto fizeram, tanto perguntaram, que Ditinha, entre o medo e o ódio, gritou:

– Merda! Merda! Eu joguei a pedra na merda, já que querem saber.

O interrogatório recomeçou pior ainda.

– Na merda, que merda, mulher?!

Ditinha calou-se e nada que eles fizeram e ameaçaram fazer teve a força de fazê-la abrir a boca.

– Sabe o que vamos fazer agora? Subir o morro, ir para o seu barraco, pôr aquela merda toda fora e achar o broche da patroa. Não estamos acreditando nesta história de você ter jogado o broche na fossa. A joia já deve estar na mão de alguém. Ladra, falsa doméstica é o que você é. Trabalhou quase um ano na casa daquela senhora, para dar o golpe depois.

Ditinha estava acuada.

– Não, moço, falsa doméstica eu não sou, não!

E durante três dias, homens da polícia subiram o morro com pás, tendo um lenço no nariz, protegendo-se contra o cheiro, cavavam, cavavam a fossa à procura da joia. A bosta era lançada para cima, ao lado. Do beco onde morava Ditinha, exalava um odor que ia se espalhando para os becos vizinhos. Ditinha, ali de pé, era obrigada a assistir à operação cata-joia. As lágrimas corriam dos olhos da mulher. Os filhos, temerosos, trancavam-se dentro de casa. A irmã não aparecera ainda. O pai paralítico chamava por ela, choramingando e pedindo cachaça. A fossa foi toda revirada. Do lado de fora vários monturos de bosta. Desistiram. Não se soube se acharam a joia ou não. Levaram Ditinha com eles. No peito de Beto, o mais velho, o ódio crescia. Merda! Merda! Merda!

Beto cresceu repentina e violentamente. Era impressionante ver um menino que até ontem era moleque, virar adulto, de um dia para outro, inclusive na própria feição do rosto. Desde o dia em que os policiais levaram Ditinha, Beto se tornou diferente. Levantou no outro dia ainda meio atordoado com tudo, pegou a pá e começou a devolver à fossa o que haviam tirado. Fazia o ofício silenciosamente. Era preciso ser rápido. Depois deitaria cal virgem em tudo. O avô delirava choramingando, queria pinga. Beto, a exemplo da mãe, encheu-lhe a canequinha. Limpou rapidamente o barraco e foi ao fogo fazer a comida. Os dois menores silenciosamente obedeciam, e juntos foram pondo ordem em tudo. Todos que conheciam Ditinha sentiam muito. O que dera nela? Ditinha podia ser até saliente, mas sempre muito trabalhadeira. Alguma coisa estava errada. Falsa doméstica, veja o que disseram dela. Será que a moça tinha mesmo apanhado a joia? Por que ficou tão calada ali em pé diante dos policiais que reviravam a fossa? Mesmo que Ditinha tivesse apanhado a joia, uma coisa era mentira: falsa doméstica, ladra, isto ela não era.

No coração de muitos cabia muito de beleza. Era preciso socorrer o pai de Ditinha e os filhos dela. Bondade fechou o barracão de Filó Gazogênia, foi até o armazém de Sô Ladislau, banhou-se dos pés à cabeça, trocou de roupa e iniciou nova ajuda. Beto gostou, não se sentiu tão sozinho. Juntos, banharam o velho, lavaram as coisas e roupas. A vida tentava continuar num ambiente mais limpo.

Os policiais foram e voltaram várias vezes. Beto tinha medo e ódio. Sondavam o menino. Via-se, nos gestos e modos deles, o desejo de levá-lo. Os vizinhos, então, acercavam-se calados e sorrateiros. Aparecia sempre alguém com uma desculpa qualquer: "Beto, Nico já chegou da escola?; Beto, fala com o Zé que a gente tem um negócio para ele!; Beto, vim dá banho no seu avô!"

Os policiais engoliam em seco, alisavam as armas e saíam. No coração de todos, a beleza cedia espaço para o ódio que florescia contra os policiais.

O menino arrumou ocupação nova, a água rareava na favela. Outras famílias já haviam saído. Cada vez mais os tratores ganhavam espaço, ganhavam terreno. Duas ou três torneiras públicas já haviam sido arrancadas. A torneira do Beco Largo, a torneira do Beco de Pai João e a torneira do Beco Escuro. Os moradores dali se espalharam por outras torneiras da favela. As lavadeiras e os mais prevenidos pagavam às crianças para que enchessem seus tambores de água. Beto ganhou muitos fregueses e amigos. Entre os amigos, ganhou a amizade de Maria--Nova. De manhã, bem cedinho, quase junto com o sol se levantando, já havia burburinho de água e gente na torneira de cima. Quem tivesse mais roupa para lavar ou mais tambores para encher, era preciso se antecipar aos demais. Os primeiros raios de sol iluminavam rostos ainda sonolentos. Era a vida em mais um dia.

Maria-Nova andava em dias de grande banzo. Tristeza por tudo, por fatos recentes e passados. Tristeza por fatos que ela testemunhara e por fatos que ouvira. O peito, o coração da menina estava inchado de dor. Era preciso segurar a lágrima e ensaiar o riso. Saía um sorriso molhado dos olhos úmidos. Como e quando acabaria aquilo tudo? Por que um lugar tão triste, uma vida tão desesperada e a gente se apegando tanto? A favela já estava com vazios imensos, áreas sem barracões, e muitos becos já tinham desaparecido. A água rareando e inimizade se fazia na disputa do líquido, mas foram a dor e o desespero que uniram os dois meninos. Muitas vezes não falavam nada. Punham a lata na fila, sentavam lado a lado, quietos, mudos. E foi numa manhã-madrugada, enquanto esperavam a vez de encherem a lata, enquanto o sol não aparecia iluminando o rosto dos dois, que Beto, de cabeça baixa, contou para Maria-Nova o segredo da mãe. Ela havia apanhado sim a pedra verde-suave que até parecia macia.

Os tratores continuavam firmes o trabalho na favela. O dia inteiro era um infernal barulho. Um sobe-desce, um vai e vem do monstro pesadão. Os terrenos em declive, os buracos, os restos de barracos eram soterrados rapidamente.

No meio da área onde estava situada a favela, havia um buraco imenso que crescia sempre e sempre na época de chuvas com os constantes desbarrancamentos. O local era conhecido por Buracão. O Buracão era grande, maior que o mundo talvez. Ali caíam bêbados e crianças distraídas. Mortes não havia, mas pescoços, pernas, braços quebrados, sim! Quando uma criança sumia na favela, se a sua casa fosse nas adjacências daquele mundão esburacado, ou se tivesse ido por algum mandato ali por perto, viam-se rostos e ouvidos assustados na beira do Buracão, atentos a qualquer som ou gemido que das profundezas viessem. Os homens mais jovens e sãos subiam e desciam ali com facilidade. Desciam à cata do desaparecido. Os moradores mais próximos enchiam o Buracão de lixo. O Buracão foi um dos últimos, senão o último local da favela a desaparecer. O Buracão desafiava o mundo.

Tio Totó escutava os barulhos dos tratores desejando ensurdecer. Aos poucos foi rareando as idas ao armazém de Sô Ladislau. Para chegar ao armazém, era preciso atravessar uma área da favela em que o bicho andava solto, arando, derrubando tudo e todos.

Deus meu! O que aconteceu com a sua vida? Aconteceu tudo e nada. Agora ali, o corpo pedindo terra e ele assim tão vazio. Pensou que a vida e a morte fossem diferentes. Não, a vida e a morte são tudo a mesma coisa. É tudo rápido e lento, é tudo meio sem jeito. Há muitas coisas na vida, aliás, quase tudo, que a gente não entende. Será que, mesmo antes de nascer, tudo já está escritinho, pronto para se viver? Totó estava cansado da vida já pronta, em que ele não podia modificar nada. Nunca foi homem de desanimar, sempre tapeou as dores. Sempre as reteve no escondido do peito. Nunca deixou que elas emergissem até aos olhos e depois caíssem pela face abaixo. Tio Totó, até então, nunca havia chorado. Nem quando era menino. Aprendera e acreditara desde cedo que "homem não chora". Nem quando o rio levou de roldão o melhor de seu, nem quando se sentiu mais uma vez são, salvo e sozinho, na passagem de Nega Tuína, sua segunda mulher, nem quando anos, muitos anos depois, perdeu a filha e depois o filho, dor alguma molhou a face de Tio Totó, embora seu coração se afogasse tanto. As dores-lágrimas lavaram a face de Tio Totó pela primeira vez, quando naquela noite os carrinhos-trator dos homens-vadios-meninos se beijaram mortalmente. E depois disto Tio Totó chorava sempre. Às vezes calado, às vezes em soluço. Era doloroso ver Tio Totó esconder nas mãos o rosto, seus cabelos agora totalmente brancos, sentado, encolhidinho, chorando tanto. A menina se aproximava, na tentativa de consolá-lo, abraçando o velho. E, sem pudor, sem orgulho algum, sem vergonha de serem vistos, os dois libertavam o pranto. Tio Totó chorava por todas as dores juntas. Era um choro nervoso, desesperado. A dor ficara muito tempo, muitos anos estancada no peito. Agora jorrava como sangue em hemorragia.

Ainda com a voz embargada de choro, Tio Totó contou a Maria-Nova como foi dolorosa a passagem de Nega Tuína.

Os filhos cresciam arrebentando o ventre de Nega Tuína. Eles cresciam e a mulher já não tinha mais onde pôr a barriga. Estava inchada da cabeça aos pés. Ela já não se equilibrava mais, andava amparando-se nas paredes. Um dia, não conseguiu nem sentar na cama. Olhei para a barriga dela, deitada ela parecia uma montanha. Lembrei de uma fotografia que vi um dia. Uma montanha com uma boca enorme, bem no meio, bem alto, e dali saía fogo-fumaça. Um caldo quente esparramava por todos os lados.

Vendo Tuína sem força para levantar e suster o próprio corpo, corri a chamar Vó Rita, naquele tempo ela ainda fazia partos. Quando ela entrou no quarto, antes de ver o resto do corpo de Nega Tuína, viu a montanha-barriga e deu de rir. Ria com o seu vozeirão, gargalhava alto! Corri ao ventre de Nega Tuína, tive a impressão que o filho havia mexido. A gargalhada de Vó Rita tinha atravessado o tempo e o espaço caindo nos ouvidos dos nenéns que estavam ali dentro.

Susto tomei eu quando Vó Rita, alisando o ventre de Nega Tuína, disse-me muito séria:

– São dois.

Nega Tuína respondeu que já sabia. Pensei: *Deus meu, são dois!* Nega Tuína, num esforço acima do que podia, sentou-se na cama. Conseguiu. Pegou nas minhas mãos dizendo:

– Totó, você vai continuar sozinho. Vai cuidar dos filhos seus. Eu fico, eu fico...

Tonteei, já era a segunda vez que ela dizia aquilo. Era tanta certeza na voz dela, que eu me afundei no medo. E recordei os modos de Nega Tuína, todas as falas dela nos últimos tempos tinham um jeito de despedida. Lembrei-me do rio levando tudo de roldão. Outra vez, eu me vi deitado do lado de cá, da outra banda do rio, sem o melhor do meu.

Vó Rita me chamou à parte e me aconselhou levar Nega Tuína para o hospital. Sentiu que ela não estava bem. E falou mesmo que era perigoso ficar aqui fazendo o parto sozinha. A barriga era de dois. E se vê que Nega Tuína não está bem. Carecia de hospital. Qual foi o susto tamanho dela. Nunca tinha ido ao médico. Nunca tomara remédio de farmácia. Nunca sentira nada, e agora, só porque ia parir, tinha de ir para o hospital? Ela iria só se fosse à força, mas mesmo assim se agarraria na cama e em tudo que encontrasse pelo caminho, só sairia de casa morta.

Vó Rita insistiu. Dizia que era muito perigoso o estado dela e ainda mais que iam ser dois. Nega Tuína rebateu dizendo que nunca havia ouvido falar de alguma mulher que tivesse morrido nas mãos de Vó Rita. E muito menos nenhum neném. Que Vó Rita sabia tudo, melhor até que muito médico. E, se ela morresse, medo não tinha. Totó cuidaria dos filhos. O que ela queria era ter casado e casou bem com o moço Totó. Ele era farto de risos, sorrisos e outras farturas também. Queria ter filhos. Treze. Sabia que não teria tantos. Demorou a ficar de barriga, é verdade, mas agora ia parir dois. E, se morresse, ia morrer mesmo, sabia. Bem que gostaria de ficar para criar os filhos, mas também não tinha muita importância. Totó arranjaria logo uma mulher que gostasse dele e dos filhos também. Estava tudo decidido, para o hospital não iria mesmo. Deitou-se novamente, a montanha buliu mais uma vez. Nega Tuína pegou minha mão, apertou e falou que eu era muito bom para ela. Em seguida, com a voz de que tem certeza do que quer, pediu que eu fosse acender o fogo, fazer um café forte, esquentar a água para lavar os nenéns. Quando eu estava atravessando a soleira da porta escutei ainda as suas últimas palavras:

– Rita, a bolsa já está vazando, agora a água, logo os meninos e depois o sangue...

Os meninos saltaram no mundo berrando que nem cabritinhos. Um casal, Maria e José. Não sei por quê, alguns dias depois, eu passei a chamar os meninos de Tita e Zuim. Tita era a cara de Nega Tuína. Tita era a mãe todinha.

O sangue não parou, Nega Tuína, ainda horas depois, tomou os meninos nos braços, deitada, força nem tinha para se levantar. Deu o seio, ora um, ora outro. Só riu um pouco, pela metade de um sorriso. Vó Rita fazia tudo o que sabia e podia e o sangue continuava jorrando. Falei com ela que jeito não tinha, era preciso hospital. Que carecia de outros modos de tratar. E ela só balançava a cabeça que não e não. Então, Vó Rita saiu à procura de uma ambulância. O hospital era longe. Tinha de ir lá e voltar na ambulância com eles. Quando Vó Rita chegou ao hospital, foi preciso esperar, esperar...

Dava para ver que Nega Tuína estava quase-quase. O sangue não fazia pausa. Os meninos também. Choravam com fome e, quem sabe, frio. Eles queriam o calor da mãe. Eu, atarantado, sabia o que ia acontecer. Já esperava o fim. Nega Tuína, já meses antes, andava me preparando para aquilo. Ela estava calma, muito calma. Parecia alguém que já tivesse resolvido tudo. Eu que suava frio, sentia um enorme aperto no peito.

Quando Vó Rita chegou com a ambulância, a vida de Nega Tuína não precisava de mais nada. Totó, Tita e Zuim é que de tudo precisavam de tão sozinhos que estavam.

Tio Totó experimentou mais uma vez o gosto amargo, a falta de jeito, o estar são, salvo e sozinho.

Tia Maria Domingas não tinha muito ou não tinha nada o que fazer com a vida. Estava com quase sessenta anos, viúva e recebia uma miserável pensãozinha que o marido pedreiro lhe deixara. Um barracão de dois cômodos na favela, tudo pobre e limpinho. Lavava ainda algumas roupas para fora. Quando o seu velho morreu, o barracão ficou enorme como o vazio que Tia Domingas passou a trazer no peito. Seu barraco de cozinha e quarto parecia um palácio de mil quartos e salões. Não encontrava o velho em canto algum, embora vivesse a sensação da presença dele o tempo todo. E Tia Maria Domingas, de alegre que era, passou a uma tristeza imensa. Estava a adoecer e, se assim continuasse, a morrer também estaria. Era penoso não ter o que ser.

Quando Tia Maria Domingas viu o viúvo Totó tão atordoado, tão triste e sem jeito com duas crianças, a mulher, numa tarefa-amor, descobriu um novo modo de ser. Ia ser mãe-avó de filhos que nunca tivera. E o seu coração adotou Tita e Zuim.

Maria-Nova, ao ouvir Tio Totó narrando a passagem de Nega Tuína, tinha a cabeça em dores. Era como se tudo fosse arrebentar dentro dela. Olhou Tio Totó e sentiu como o velho estava cada vez mais indefeso. Pensou que talvez a única defesa dele fosse realmente a morte. Era triste vê-lo sentado ali no tamborete de madeira, a cabeça baixa, os olhos semicerrados perdidos no chão, o cachimbo apagado no canto da boca. A menina se levantou, olhou profundamente o velho, e ele não fez sequer um movimento. Era tarde, o tempo estava parado e denso. O sol dourava as montanhas distantes. Tio Totó, cabisbaixo, tornava-se mais velho ainda.

Maria Nova sentia que era preciso modificar a vida, mas como? Saiu desesperadamente calma a andar pela favela. Conhecia de cor, de olhos fechados muitos becos, porém alguns ainda eram-lhe estranhos. Mãe Joana nunca gostou que seus filhos fossem muito além da área em que moravam. Tinha medo, muito medo de que eles se perdessem, quando estivessem distantes de casa. Maria-Nova, entretanto, furava o cerco. Amava a mãe, mas era impossível não ir ao mundo. Passou pela área onde trabalhavam os tratores e lá estavam eles, pesadões, agarrados ao chão, esperando a labuta do dia seguinte. Observou que uma boa área da favela já tinha sido aplainada. Lembrou-se de todos os que moravam ali. Tantas e tantas famílias já haviam ido. Estariam felizes? Estava chegando o tempo do festival de bola e ninguém se movimentara ainda. Será que teria? Faltava muita gente: os que haviam ido embora e os que haviam partido para sempre. Quem este ano tiraria o samba? O som da cuíca, do atabaque e do pandeiro? Os homens-vadios-meninos haviam ido brincar no carrinho-trator... E os que ainda estavam por ali andavam sem coragem, sem muitos desejos. *É impossível que tudo acabe assim*, pensou a menina. Vida. *É preciso, não sei como, arrumar uma nova vida para todos.*

Negro Alírio tomou para si o trabalho de localizar a irmã de Ditinha. Pergunta aqui, indaga lá, e na favela mesmo conseguiu a informação de que a moça estava fazendo vida na zona. Era preciso encontrá-la. Desde a prisão de Ditinha, o pai paralítico ficara sem receber a pensão. Negro Alírio, como Bondade e Vó Rita, eram incansáveis. Acreditavam e diziam que a vida de cada um e de todos podia ser diferente. Que tudo aquilo estava acontecendo, mas muita coisa poderia mudar. E quem mudaria? Quem mudaria seria quem estivesse no sofrimento. Quem arreda a pedra não é aquele que sufoca o outro, mas justo aquele que sufocado está.

E havia a aflição nos modos de Negro Alírio. Não uma aflição desesperada, mas a aflição de quem sabe que a estrada adiante é longa, e que a vida não permite o lento caminhar.

Ameaçados, ou melhor, confrontados diante do desfavelamento, um desânimo amolecia a vontade de todos. Emoções confusas tomavam conta de Maria-Nova e a menina procurava se equilibrar em meio de tantos acontecimentos. A conduta de Vó Rita, de Bondade e de Negro Alírio sinalizava para ela que era preciso insistir. Ela queria seguir a caminhada, inventar alguma saída, mas ainda não atinava como. Sabia, por sua própria vivência, que na favela se concentravam a pobreza e mesmo a miséria. Percebia a estreita relação de sentido entre a favela e a senzala, mas mais se entristecia ao perceber que nos últimos tempos ali se vivia de pouco amor e muito ódio. Um ódio que passara a existir entre pessoas que até então se gostavam tanto e que era um sentimento dirigido à pessoa errada. O homem que espancava a mulher que exigia mais dinheiro para as compras. Afinal, ele trabalhava tanto, não teria direito a uns goles de cachaça no final da semana? A mãe que batia raivosamente no filho mais velho. Não é que o Zé, em vez de comprar o leite do Toinho, gastou o dinheiro em balas e picolés!... O ódio do Tutuca, menino que fazia carreto na feira e, um dia, a tentação foi maior, rápido tirou uma maçã da banca. O dono viu, ficou enfezado. "Moleque ladrão, vai trabalhar, vagabundo!" E tome e tome e tome. Tutuca subiu rápido o morro. "Não sou ladrão! Trabalho, faço carreto na feira." O ódio inchava o coração do menino. E quando ele viu o

Jorge da Marta, menino como ele, parceiros de brincadeiras, pipas, bolas de gude, amigos, Tutuca se enfezou mais, que enfezado já estava. "Ei, Jorge, cadê minhas bolinhas? Você disse que me dava outras e não deu! Ladrão, vagabundo!" E tome e tome e tome... Pegou Jorge de surpresa. Até agora mesmo, pouco antes de o Tutuca descer para a feira, haviam jogado bolinhas juntos. Eram tão amigos. E quando Tutuca viu o sangue escorrer do nariz de Jorge, ficou quase feliz. Sangue e maçã. Mordeu em seco. Jorge da Marta se levantou, olhou para aquele que amigo antes era, e veio uma dor maior do que a surra que levara. A dor pior fora da amizade que acabara. Enfiou a mão no bolso, esvaziou-o, entregou lentamente todas as bolinhas ao Tutuca, todas, muito mais do que ele devia, e saiu. Tutuca andou, um pouco mais adiante parou, e jogou fora todas as bolinhas de gude. As que tinha e as que acabara de receber. E nunca mais Tutuca e Jorge da Marta foram vistos juntos.

Tempo triste era o tempo de chuva na favela. A chuva dentro e fora dos barracos, as goteiras que deixavam uma mancha amarelada nas roupas. Era o sujo da telha. Todos tinham de ficar dentro de casa. Sol, pelo menos os meninos iam lá para fora. Chuva, ficava todo mundo amontoado que nem bicho varejeiro. As crianças cansavam de inventar brincadeiras. Fazia frio, muito frio! Um cutuca para lá, outro cutuca para cá. E grita e berra. Não havia paciência que não explodisse, mesmo em peito de muito amor. Mãe Joana tinha um terror quase infantil de tempestade. Bastava um clarão e um grito maior no céu, ela agarrava os filhos, subia para a cama e punha-se a rezar. Queimava ramos bentos, rezava a Salve Rainha, e pedia à Santa Bárbara que tivesse clemência, abrandasse a chuva e os ventos. Com a persistência da chuva, era pior. Tudo ia ficando úmido, tudo mofo, tudo barro, tudo lama e frio. Os agasalhos eram poucos, muito poucos. As roupas das patroas não secavam. O trabalho custava tanto e pouco rendia. O sol, às vezes, aparecia trazendo um tempo esperançoso no céu. As roupas corriam para os varais e, mal eram penduradas, retornavam molhadas e, às vezes, sujas às bacias no canto do barraco. Era preciso lavá-las de novo. E dava desespero em Mãe Joana. Seus olhos, seu rosto e lábios, que nunca sorriam, entristeciam-se mais ainda. Havia chuvas de lágrimas. Os meninos tinham fome. Maria-Nova comia pouco, mesmo em dia que tivesse uma quase fartura.

Mãe Joana sabia fazer simpatia para o sol aparecer. Quando dava alguma aragem, ela ia lá para trás da casa e desenhava no chão um grande sol cheio de grandes pernas compridas. Aquilo era bom para chamar o sol. Às vezes, ele escutava o pedido; outras vezes, com medo de se molhar, continuava em seu esconderijo.

A chuva persistente acabava por amolecer as paredes do barraco que, entretanto, iam resistindo por teimosia até o momento em que não aguentavam mais. Às vezes, rachavam primeiro, denunciando fraqueza, outras vezes não, caíam rápido e de repente. E quando ouvíamos um barulho, surdo, seco, apurávamos os ouvidos esperando gritos de dores humanas. Alguns ficavam soterrados, principalmente velhos e crianças. Os vizinhos corriam rápidos, em meio à chuva, com pás, paus, o que tivessem, e retiravam as pessoas. Não era tarefa muito difícil. Os barracos eram de adobe, latas, papelões e folha de zinco. Raramente havia mortos, vez por outra algum ferimento mais grave e, na maioria das vezes, só escoriações. O pior era o desespero de não ter para onde ir, não ter mais o barraco para morar. A insegurança e o desconforto, que antes já existiam, com o barraco abaixo se tornavam maiores ainda. Uma casa, já pequena, que raramente abrigava menos de cinco pessoas, por longo tempo acolhia duas ou mais famílias. E estas dividiam tudo o que tinham de fome e de miséria. A chuva, indiferente a tudo, redobrava a força, chovia mais ainda.

Como o tempo de chuva corria meses sem tréguas, o bicho pesadão fora obrigado a parar o trabalho e havia saído da favela. E então, no frio da noite, podíamos nos sentir aliviados e esperançosos. Quem sabe ele não voltaria nunca? Quem sabe a favela seria realmente nossa? Dos muitos que já haviam partido, tínhamos notícia de que não estavam bem. Sonhávamos. Caso o plano de desfavelamento fosse suspenso, apesar de a ida deles ter acontecido há mais de um ano, quem sabe, poderiam até voltar...

A chuva impedia o sol, mas dentro de muitos, de Tio Totó, de Maria-Nova, de Bondade e principalmente das crianças, um sonho ingênuo brincava no coração deles. Uma réstia de luz, um sol esperançoso, de que o território em que estava plantada a vida de todos poderia ser para sempre deles.

Os meses de água já estavam terminando. Todos os anos, com que ansiedade esperávamos que a chuva cessasse. Naquele ano, porém, queríamos a chuva e o mais possível, apesar dos barracões caídos, apesar da fome, do frio, do mofo que tudo mofava, as coisas e a gente. Entretanto, aos pouquinhos a chuva ia cedendo. Antes, chovia todos os dias e o dia todo. Agora intercalava-se a chuva com a estiagem. Nos dias de aragem, as famílias, cujos barracos haviam caído, desciam do morro à procura de alguma coisa que servisse para os reerguer novamente. Surgiam outros tão ou mais precários que os anteriores. E gerações inteiras nasciam e cumpriam tempo de vida acostumadas à miséria, fazendo muitas da miséria razão de vida. O menino Brandino, que por acidente no trator ficara inerte, paralítico, servia para pedir-ganhar esmola para a família. Com as esmolas ganhas passaram a um melhor viver.

Negro Alírio, contudo, teimava em dizer que aquilo não era vida. Que os grandes, os fortes, os que estavam do lado de lá, queriam que todos os do lado de cá fossem realmente fracos, bêbados e famintos. E o pior, eles queriam dirigir o nosso ódio contra nós mesmos, queriam que fôssemos inimigos.

A chuva parou e o sol voltou como uma ameaça. A firma construtora responsável pelo desfavelamento, por representantes, mandou-nos um aviso. "Quem estivesse com o barracão derrubado pelas águas das chuvas, que não tentasse reerguê-lo novamente.

Seria um trabalho perdido. Brevemente todos nós seríamos despedidos."

Maria-Velha escutava a fala lamentosa de Tio Totó e começava a achar que ele tinha razão. Era mesmo tudo um trabalho perdido. Trabalho perdido reerguer os barracões que haviam caído. Trabalho perdido o de Negro Alírio ajuntar o pessoal e ir até à firma construtora explicar os nossos motivos. Trabalho perdido Totó ter chegado são, salvo e sozinho à outra banda do rio. Trabalho perdido ela ter saído da roça onde havia nascido com todos os seus irmãos e vir para a cidade buscar melhoria de vida. Trabalho perdido! Começava também a achar que tudo era mesmo trabalho perdido. A vida para ele, para ela e para os que tinham vindo antes, tudo realmente havia sido trabalho perdido? Mas não podia ser! Relembrou de seu avô chorando enquanto ela dava pulos acabritados e dos motivos da dor do velho. A saudade que ele dizia ter de sua filha Ayaba. Nas lembranças, encontrou sua mãe que tinha um lado do corpo esquecido e seu pai, o louco Luisão da Serra. Lembrou-se da pequena localidade em que havia nascido, Serra do Cipó, e viu a sua vida toda retorcida em dores, como um emaranhado cipó. Olhou Totó, seu companheiro, cada vez mais desesperançado e por isso mais e mais envelhecido. Não, ela não queria entregar os pontos. Era preciso seguir segurando a vida. Havia as crianças, as das irmãs e as outras. Não! A vida não podia ser assim sempre, uma repetição doida! Quem sabe, sair da favela, ir para outros lugares. Outra favela, talvez? Quem sabe, a vida tivesse e guardasse algum sentido?...

Quando Maria-Velha chegou à favela, os barracos eram vizinhos, mas esparsos um do outro. Ela chegara com algum dinheiro, que, com Joana e Tatão, conseguira economizar lá na roça. Compraram um quartinho e se puseram a tocar a vida. Tatão era quase menino ainda, ficou ora de biscate, ora de moleque de recado, de ajudante de pedreiro, de cozinheiro, até entrar para o quartel. Entrou, veio a guerra, e Tatão fez da guerra motivo seu. Foi, lutou e voltou. Às vezes, em meio a sonhos, dava tiros de metralhadora. Ele contava histórias de sangue de que Maria-Nova não gostava. Maria--Velha e Joana encontraram no fogão, no tanque e nas casas de patroas modos de sobrevivência. Aos poucos foram se acostumando com as coisas da cidade. Sentiam saudades da Serra do Cipó, dos cipós, dos cocos, dos rios, da roça e dos bichos. Na cidade, como tudo era diferente! Maria ria para dentro. Joana, nem para dentro ria.

Maria Velha, sempre amparando os irmãos, testemunhou as dores de todos. Assistiu discretamente aos encontros, aos desencontros, às paixões de Joana, aos filhos... Os filhos que Joana retinha em si, mesmo depois de paridos. As patroas aconselhavam Maria-Velha: era preciso que ela convencesse a irmã a dar uma ou duas daquelas meninas ou, quem sabe, todas para algumas senhoras criarem. Podia também entregá-las ao Juizado de Menores.

Seria difícil para Mãe Joana trabalhar e cuidar das crianças. Maria-Velha e Mãe Joana diziam não. "Meus filhos não são cachorros para serem dados assim!", dizia Mãe Joana. E não se afastava dos filhos. Faltava comida, cama, conforto, mas nunca faltou o aconchego do coração de Mãe Joana, e era ali que ela aninhava a sua prole.

Maria-Velha, olhando Tio Totó e percebendo como ele havia se tornado tão indefeso, com o passar dos anos e com o acúmulo de sofrimentos, lembrou-se de quando o conhecera, havia uns trinta e tantos anos. Totó já tinha mais de meia-idade, entretanto era ágil em tudo. Tinha ainda um sorriso farto e bonito. A gargalhada dele vinha lá do fundo, lá do escondido do peito, e desabrochava na boca. Um som no corpo alegrando tudo. Totó tinha um casal de filhos. Tita e Zuim, que nem tempo de sofrimento por ausência de mãe tiveram, pois Tia Maria Domingas, a mãe-avó, conseguira dar conta dos filhos. O casal de gêmeos cresceu em casa de Tia Maria Domingas. Gostava do pai Totó, que a eles dava alimentos, o exemplo de trabalho, o amor, o xingo, a surra. Amavam Tia Maria Domingas que era a mãe por tudo. E quando Tio Totó e Maria-Velha se casaram, Tita e Zuim não trocaram de casa. E nem havia motivos, nunca estiveram sozinhos, mesmo com a passagem de sua mãe Tuína. Tio Totó sim, é que ficara, sem quê nem porquê, feito ave sem ninho. Ao ver o corpo de Nega Tuína ser enterrado, outras mortes lhe vieram à lembrança. Miquilina, sua primeira mulher, e Catita, a menina-sonho, sua primeira filha, que foram arrastadas pelas águas do rio. Na hora, misturou tudo, ele não sabia quem estava enterrando. Nunca soube como e quando as águas devolveram o corpo de Miquilina e de Catita. Lembrou-se de Tita e Zuim, sentiu um aperto no coração. Quando voltou do cemitério para casa, já não os encontrou. Vieram com um recado de Tia Maria Domingas: as crianças estavam com ela. Totó deitou-se na cama enorme e, ainda atordoado, pasmado, revoltado com a vida, sentiu um pouco de alívio. Pelo menos, os meninos estavam bem, isto estava resolvido.

Maria-Velha sentia um aperto no coração enquanto olhava Tio Totó e recordava de todos os fatos dolorosos da vida dele. Era triste o desamparo do velho. Ela podia estar com ele, falar com ele, ouvir as histórias dele, mas tinha a sensação de que sempre acabava deixando-o sozinho. Sentia-se curta, limitada para ajudar Totó. Não podia nem tinha coragem de falar-lhe de esperanças, pois, dentro dela, este sentimento também estava se diluindo.

Negro Alírio, da construção onde arranjara serviço como pedreiro, olhava o mundo. Era hora do almoço. O patrão pedira os documentos e ele fora obrigado a dizer que perdera tudo. Tinha certo receio de lhe dar a carteira de trabalho. O patrão descobriria que ele era ex-empregado do porto, aliás, nem baixa sua carteira tinha. Como explicar tudo? Abandono de emprego, por quê? O movimento, a greve, o levante dos operários do porto havia sido noticiados por todo o Brasil. Se o novo patrão descobrisse, além de perder o trabalho, seria tomado como subversivo. Não que tivesse tanto medo da prisão! Nunca fora preso. Sabia de companheiros que foram presos. Alguns haviam desaparecido. Não podia ser preso, queria estar solto, livre aqui na dura lida.

Ao abrir a marmita, o cheiro da comida purificou o ar. Negro Alírio sorriu pensando em Dora que realmente tinha tempero em tudo. Ficou pensando na mulher que lhe trouxera um novo momento de vida. Relembrou toda a história dela: o filho que ela tivera e dera para o homem que havia sido o pai, o casamento que ela rejeitara para ficar com a mãe, que morreu logo depois. Negro Alírio estava achando tão bom ficar com Dora. Tudo era tão paz entre os dois, apesar das mil lutas que estavam acontecendo na favela e com que ele se sentia comprometido. Era preciso lutar pelo direito de não sair de onde estavam. Era preciso arrumar um advogado da justiça gratuita para Ditinha. Ela estava presa ainda. O Zé das Mercês havia se acidentado no trabalho e os patrões estavam enrolando o homem. Havia os problemas das crianças, que, com o desfavelamento, perderam as vagas nas escolas ao se mudarem no meio do ano e não encontravam vagas próximas do lugar para onde iam. Negro Alírio, um dia, no intervalo do almoço, correu à escola que atendia as crianças da favela. Era preciso um documento que garantisse a matrícula das crianças em outras escolas. Esta era a preocupação maior de Negro Alírio. Para ele, a leitura havia concorrido para a compreensão do mundo. Ele acreditava que, quando um sujeito sabia ler o que estava escrito e o que não estava, dava um passo muito importante para sua libertação.

A vida exigia sim! Era preciso caminhar, era preciso ir
– era o que ele repetia sempre. E lá estava ele junto
de todos. Sempre atento. Dentro dele cabia tudo.
A força do pensar, do criar, do mudar, do lutar, do
construir. Dentro de Negro Alírio cabia ainda Dora,
o sonho, o amor, cabia agora, cabia o porvir...

Dora acordou naquela manhã com uma preguiça
gostosa no corpo. Abriu os olhos e continuou
mole na cama. Estava feliz. Pensou em Negro
Alírio. Nunca tivera um homem tão carinhoso na
e fora da cama. Nem com o espanhol ela fora tão
feliz. Lembrou-se do outro homem com quem tivera um filho: havia perdido o contato com ele. O
menino deveria estar com uns seis ou sete anos talvez. Nunca mais quis ver a criança, perdeu todo o
contato com o homem e nunca havia se arrependido. Agora estava gostando muito de Negro Alírio
e ele estava gostando muito dela também. Além de
Vó Rita e Bondade, nunca havia visto ninguém se
preocupar tanto com os outros como Negro Alírio. Ele era bom, de uma bondade diferente. Negro Alírio às vezes falava coisas que ela e os outros nunca haviam pensado ou ouvido. Ela, por
exemplo, nunca havia pensado que os restos, que
muitas vezes ganhava das patroas, eram o excesso
dos que tinham muito e que esta sobra era construída justo em cima da falta ou do pouco dos que
nada tinham. Nunca havia pensado a fundo sobre
o desfavelamento. Era sozinha, em qualquer lugar
que chegasse, ficaria bem. Estava triste de deixar
a favela. Tantos amigos que tinha por ali, viera de

outra favela com a mãe alguns anos atrás. Sair dali, entretanto, pouca diferença fazia. Pior seria para Vó Rita, para Tio Totó, Maria-Velha, Mãe Joana e os filhos. Filó Gazogênia ainda bem que morrera antes. Havia os Crispins, os Arnôs, os Banguelas, os Jorges, os Zeferinos, os Bigodes, os Arcanjos, os dos Santos, os Nascimentos e tantas outras famílias que haviam inaugurado a favela. Para onde eles iriam? E ela para onde iria? Se antes isto não tinha significado algum, pois poderia ir para qualquer lugar, agora, com qualquer passo que desse, sua caminhada ganhava outro sentido. Estava gostando da companhia de Negro Alírio e queria caminhar doravante ao lado dele.

As chuvas pararam mesmo. O sol se tornou novamente dono do céu. O bicho pesadão voltou bravo, com fome e sede de barracos, barrancos, buracos. Passava certeiro, derrubando tudo. Os emissários da firma construtora chegaram trazendo a carta de bota-fora para mais cinquenta e três famílias. Que fizessem logo a escolha: as tábuas ou o dinheiro; e que juntassem os trapos logo também. Alguns moradores já estavam aflitos para sair. Quem morava na área onde o bicho pesadão rondava, comia pó e poeira o dia inteiro. Se era para ir, se não havia jeito mesmo, era melhor ir logo, melhor abreviar a dor. Mudavam apenas de lugar, a vida seria a mesma ou até pior. Mais duas ou três torneiras foram retiradas. Era preciso pressionar e encurralar o pessoal. Colocá-los numa situação de maior desconforto ainda.

Tio Totó começou a apresentar tremuras nas mãos. Envelhecia a olhos vistos. Deixava o cachimbo apagado no canto da boca e ficava horas e horas a contemplar o vazio. Frequentemente tinha lágrimas nos olhos. Era triste vê-lo tão sozinho. Maria--Velha vinha, sentava ao lado dele a puxar assunto. O velho raramente respondia e, quando fazia, ia fundo até lá na infância, cutucando, remexendo, buscando as pedras pontiagudas, sangrando tudo. Quantas vezes ele e ela haviam trocado as pedras dolorosas daquela coleção de sofrimentos, tendo Maria-Nova como ouvinte. Era tudo muito doloroso. Muitas vezes contavam casos com o embargo do choro na garganta, mas resistiam. Agora, era pior. Tudo estava mais dolorido e presente. As dores que pensavam ter ficado para trás, estavam ali, vivas, porejando na pele dos dois como bagos de sangue.

Maria-Nova foi para a escola naquela manhã com má vontade a rondar-lhe o corpo e a mente. Cada vez que tinha de se ausentar da favela, o medo, o susto, a dor agarravam-lhe intensamente. Era como se fosse sair e, ao voltar, não encontrasse mais ninguém naquele território espremido.

Na semana anterior, a matéria estudada em História fora a "Libertação dos Escravos". Maria-Nova escutou as palavras da professora e leu o texto do livro. A professora já estava acostumada com as perguntas e com as constatações da menina. Esperou. Ela permaneceu quieta e arredia. A mestra perguntou-lhe qual era o motivo de tamanho alheamento naquele dia. Maria-Nova levantou-se dizendo que, sobre escravos e libertação, ela teria para contar muitas vidas. Que tomaria a aula toda e não sabia se era bem isso que a professora queria. Tinha para contar sobre uma senzala de que, hoje, seus moradores não estavam libertos, pois não tinham nenhuma condição de vida. A professora pediu que ela explicasse melhor, que contasse em mais detalhes. Maria-Nova fitou a professora, fitou seus colegas: havia tantos, aliás, alguns eram até amigos. Fitou a única colega negra da sala e lá estava a Maria Esmeralda entregue à apatia. Tentou falar. Eram muitas as histórias, nascidas de uma outra História que trazia vários fatos encadeados, consequentes, apesar de muitas vezes distantes no tempo e no espaço. Pensou em Tio Totó. Isto era o que a professora chamava de homem livre? Pensou em Maria-Velha, na história do avô dela, pensou no próprio avô, o louco do Luisão da Serra. Pensou em Nega Tuína, em Filó Gazogênia, em Ditinha. Pensou em Vó Rita, na Outra e em Bondade. Pensou nas crianças da favela: poucas, pouquíssimas, podia-se contar nos dedos as que chegavam à quarta série primária. E entre todos, só ela estava ali numa segunda série ginasial, mesmo assim fora da faixa etária, era mais velha dois anos que seus colegas. E ainda estava em via de parar de estudar, a partir do momento em que tivesse que mudar da favela. Pensou em Negro Alírio e reconheceu que ele agia querendo construir uma nova e outra História.

Maria-Nova olhou novamente a professora e a turma. Era uma História muito grande! Uma história viva que nascia das pessoas, do hoje, do agora. Era diferente de ler aquele texto. Assentou-se e, pela primeira vez, veio-lhe um pensamento: quem sabe escreveria esta história um dia? Quem sabe passaria para o papel o que estava escrito, cravado e gravado no seu corpo, na sua alma, na sua mente.

O Buracão parecia mais feroz ainda. Antes, quando ele tinha barracos pendurados ao redor, a sua boca parecia um pouco menor. Agora os barracos já haviam desaparecido e as famílias também. O bicho pesadão havia aplainado toda a área ao redor do Buracão. Às vezes, vinha tão próximo que dava a impressão de que despencaria pelo precipício abaixo. Rogávamos praga e desejávamos sinceramente que isso acontecesse. Mesmo se morresse o tratorista, tamanha era a nossa raiva, a nossa decepção, o nosso despeito por sairmos da favela. Precisávamos nos encontrar frente a frente com alguém em quem pudéssemos despejar o nosso ódio. Sabíamos, porém, que aquele moço não representava nada. Não era ele que nos tirava dali.

Todos estavam totalmente desestruturados. Havia briga por tudo e por nada. As coisas mais corriqueiras serviam como ponto de discórdia. Era a galinha de um que espalhava o cisco do outro. Era a bola de uma criança que caía na área do barraco de alguém. Era uma dívida antiga, alguns trocados que nunca foram cobrados e que, de repente, eram exigidos até com juros. E eram especialmente pedras nos telhados. Havia mãos misteriosas de moleque

que lançavam pedras e quebravam tudo. E quem era? Não se sabia quem! A culpa cabia ao que fosse apanhado em atitude suspeita. O que seria atitude suspeita? Tudo! Uma mão no bolso. Um andar vadio. Um correr sem quê nem pra quê. Podia ser o Tonho, o Zé ou o Nico. O eleito culpado, se não corresse, seria surrado.

Para muitos, para todos, talvez, o inimigo era aquele que estivesse mais próximo. O ódio, a amargura, o desamparo que existia em todos tinham como válvula de escape o próprio irmão. Não reconhecíamos que estávamos no mesmo barco, no mesmo oceano de miséria. Ali não havia comandante, o barco e todos nós estávamos à deriva.

O cerco apertava e Negro Alírio tentava orientar a todos. Não, eles não podiam fazer, ou melhor, nós não podíamos deixar que fizessem assim com a gente. Ainda havia muitas famílias na favela, a metade, talvez. Eles estavam dificultando cada vez mais a nossa sobrevivência. As torneiras públicas foram sumariamente arrancadas. Restavam três: "a torneira de cima", o "torneirão" e a "torneira de baixo".

Negro Alírio insistia em nos injetar esperança. Não uma esperança apática, crente que o milagre pudesse acontecer, mas uma esperança que se concretizava na luta. Desde quando ele chegou à favela, logo depois que baixou tenda no barraco e no corpo de Dora, saiu para conhecer a área. Aos poucos, foi conhecendo todos e tudo. Na época todos nós só falávamos no desfavelamento. Alguns até choravam e ponto. Os que mais sentiam eram os velhos e as crianças. Negro Alírio falou da Lei Usucapião. Alguns sabiam da Lei, um velho argumentou que quem fazia a lei eram os fortes.

– Não se iluda moço, eu só acredito em Deus. *Eles precisavam acreditar que tinham Deus ao lado deles*, pensou Negro Alírio. Ele cria em Deus, mas acreditava na força, na ação do homem.

Ninguém acreditava na possibilidade de nada. Quantos políticos e outros profissionais haviam subido o morro, prometendo mundos e fundos!... Repórteres de grandes jornais haviam feito emocionantes entrevistas!... Um canal de televisão dera longa cobertura. Apareciam assistentes sociais, bondosas, caridosas, cujos cursos de faculdade lhes davam uma pretensa visão do mundo, da realidade...

Todos gostavam de Negro Alírio, sabiam perfeitamente que ele era nosso, mas as palavras dele caíam no vazio do desespero de todos. Gostavam do ânimo, da esperança do homem. Ele chegara havia bem pouco tempo e tomara para si as dores que eram nossas. Ninguém, entretanto, acreditava em qualquer solução.

Um dia, um grupo decidiu ir ao escritório da firma construtora responsável pelo desfavelamento, para reclamar da falta que estavam fazendo as torneiras que haviam sido retiradas. A comissão não foi sequer atendida, retornando em estado total de desânimo e desespero. As pessoas voltavam cabisbaixas e condoídas de si mesmas. Carregavam também o complexo de culpa por serem tão pobres. Negro Alírio, altivo no meio de todos, vinha preocupado, porém lúcido, certo, firme. Era o único que pisava num solo que sabia ser seu. Era só uma questão de tempo. Um dia, poderia ser hoje ou amanhã, todos os homens teriam os mesmos direitos. Tempo chegaria em que os homens todos se proclamariam e viveriam como irmãos.

Vó Rita tinha as mãos vazias de bens que lhe coubessem. Estava vencendo o tempo de amargo sofrimento e usara uma única arma, o amor. Ela sabia que a sua vida não tinha sido jogada fora. Não tinha bens que pudesse contar, enumerar, guardar em bancos, em bolsas, em vasilhas, em armários. Todos os seus bens estavam guardados, retidos no peito. E foram tantos, tantos que saíram de suas mãos. Ela testemunhara o nascer de tanta vida. Era duro viver, mas valia a pena. Viu tanta mulher parir em dores. Assistiu a tanta dor, mas testemunhou alegrias e esperanças também. Viu os filhos seus e dos outros crescerem, viverem, apesar de tudo. Tinha ainda muita esperança para si e para os outros. Não era preciso o desespero. A vida haveria de continuar em outro lugar, em outras pessoas. O seu corpo poderia até cair agora, mas outros e outros levantariam. Havia uma razão atrás de tudo. Ela não sabia bem qual seria, mas atrás de tudo alguma razão existia. Era preciso ir adiante. Uns morriam, outros nasciam. Bom tempo aquele em que buscava com toques nas barrigas das mulheres a vida que lá dentro existia. Hoje ela segurava outra vida. Vó Rita sabia que era a sua amizade, o seu amor que retinha a vida da Outra.

A Outra levantou com certa dificuldade e olhou para Vó Rita. Quis dizer alguma coisa, mas calou. Ultimamente evitava falar, não aguentava ouvir a própria voz. Vó Rita é que falava, falava sempre. Ela respondia por monossílabos, mas tinha um prazer intenso. A voz de Vó Rita ainda lhe chegava nítida aos ouvidos. Vó Rita era a certeza do mundo. Raramente agora saía até o beco que a levava ao portão. De vez em quando, atrás dele, contemplava disfarçadamente o mundo. Como as pessoas estavam tristes! Como havia aumentado o vai e vem na torneira. A fila de latas vazias como bocas escancaradas, esperando a água, causava-lhe uma sensação de sede. Maria-Nova andava muito triste também. Um dia a menina estava tão distraída que chegou a dar-lhe a impressão de que, se ela saísse dali de trás do portão, fosse até lá fora, dançasse, gritasse, pulasse, nem assim seria vista. Todos tinham um só medo, um só desespero, iam embora. E ela iria para onde? Com Vó Rita para algum lugar. O filho não falava nem olhava mais para ela. Ela o evitava também. Um dia ela percebeu medo no olhar dele e depois, algum tempo depois, percebeu ódio. E, a partir de então, ele nunca mais lhe falara. Bom, se falasse, talvez fosse pior, ele não suportaria ouvir a voz dela. Ela sabia que a saída da favela seria a salvação dele. Seria desligar-se totalmente dela. Seria enterrá-la bem longe, bem fora, seria romper com ela qualquer elo.

As pessoas estavam num desespero tal, que queriam de qualquer forma abreviar o sofrimento. Havia famílias que, quando o caminhão de mudanças aparecia, elas mesmas se ofereciam para ir. Ficar ali tinha se tornado um inferno. O bicho pesadão campeava durante todo o dia e, nas noites de estrelas iluminando a terra, a fera campeava pelo tempo adentro e tudo era poeira e desespero. Havia ainda a escassez, a falta d'água. Em algumas construções do bairro vizinho, à noite, o rondante dava aos favelados algumas latas d'água. Era um exercício cansativo. Andávamos, muitas vezes, quase uma hora com uma lata na cabeça e outra dependurada nas mãos. Ao amanhecer, estávamos extenuados. Ninguém reclamava mais. Acreditávamos que nada mais havia para se fazer. As três únicas torneiras públicas que ainda existiam passaram a jorrar pouca água durante poucas horas do dia. As lavadeiras começaram a perder a freguesia. Os que resistiam não sabiam como e por quê.

Até então, havia na favela o álcool, o cigarro, o baralho. Tudo era o prazer. No jogo de cartas, o grito "truque" saía fundo das gargantas dos homens. Sempre um bêbado ou outro, com suas pernas hilariantes, tornava-se um confessor público de seu hábito. Um vício, porém, foi mantido escondido durante muito tempo na favela. Suspeitava-se principalmente dos filhos de Ana do Jacinto. Eles andavam sempre acompanhados de "filhinhos de papai". Rapazes de lambretas subiam e desciam o morro. E tudo aflorou então. Passaram a fumar normalmente pelos bequinhos. A qualquer hora do dia ou da noite, um cheiro adocicado esparramava-se no ar. Numa noite, a polícia arrombou a porta do barraco de Ana do Jacinto. Levaram os filhos dela. Os rapazes de lambreta ficaram muitos dias sem subir o morro. Um dia voltaram. Ana do Jacinto já tinha mudado. Ninguém mais, nem Negro Alírio, conseguiu saber que rumos os filhos de Ana tomaram. Quando descíamos o morro, lá na praça, rapazes alegres, bem vestidos, brincavam, conversavam ao sol. Eram tidos como jovens contestadores, estudantes, intelectuais. Os filhos de Ana do Jacinto, jovens vagabundos, perturbadores, marginais.

A cada dia perdíamos mais pontos na favela. Havia caminhões levando mudanças o dia todo e todos os dias. O território nosso já se resumia ao quase nada. Os barracões eram derrubados com facilidade. O material que resistia ao abate era levado. Pedaços de tijolos, zinco, madeira, e às vezes, papelão.

Algumas pessoas morreram e não precisaram começar a mesma nova vida em outro local. Morreram o Zé da Guarda, a Velha Isolina, o menino Brandino, a jovem Marieta, a louca mansa Cidinha-Cidoca--Maria-Minhoca e outros.

Cidinha-Cidoca que pouco ou nada falava ultimamente, resolveu falar. E sua fala era uma resolução de morte. Ela dizia que iria morrer. Morrer como, por quê, e de quê, perguntaram para ela. A moça respondia que ia morrer de não viver. E para todos, ela apenas confirmava a loucura. Morrer de não viver...

O Buracão parecia crescer na área vazia da favela que se esvaziava ainda e ainda. Era uma imponente cratera. De cá de fora sentíamos e imaginávamos a umidade lá dentro. Era todo úmido o vazio do buraco. Era todo úmido o canto dos olhos de quem retinha as lágrimas. Maria-Nova não aguentava mais era o coração explodir-lhe nos olhos e no peito.

Um dia, de cá de cima, percebemos um ponto humano lá em baixo. Seria um velho, um bêbado, uma criança? Tínhamos medo. Bobagem, uma queda no Buracão, quebrava-se ou não. Morte nunca havia tido antes. Ninguém dera falta de ninguém. Era um domingo de manhã. Os homens mais fortes desceram até ao fundo. Vimos que eles traziam alguém no colo, desmaiado talvez. E a certa distância, já quando eles estavam quase chegando cá em cima, reconhecemos e entendemos tudo. Era a Cidinha-Cidoca-Maria--Minhoca. Seria o morrer de não viver?...

A morte de Cidinha-Cidoca no Buracão era inexplicável para todos. Nunca ninguém tinha morrido ali por queda. O fundo do Buracão era amaciado pela lama e mato. Externamente ela não apresentava nenhuma marca, nenhuma ferida. Teria caído lá dentro já quase a morrer? O Buracão não era tão fundo. Era largo, largo, muito largo. Algumas pessoas chegavam até a ensaiar erguer suas moradias ali dentro. Não suportavam pelo frio e pelas sujeiras que os cá de fora ali lançavam. Como explicar a morte de Cidinha-Cidoca? Como explicar a morte? A mulher estava morta. Cidinha-Cidoca, durante os anos de lucidez, representara a vida na favela. Ela, o corpo dela, o sexo gostoso, o prazer. Veio a loucura; primeiro, o espanto de todos; depois, o acostumar-se. Cidinha-Cidoca foi virando história do passado, embora estivesse ali tão presente no botequim de Sô Ladislau, no botequim de Cema, pelos becos da favela, com o seu silêncio, com o seu mutismo e seu olhar de doida mansa desconcertando a todos. Continuava bonita, a cabeleira encarapinhada, suja e sem trato. O corpo esguio, o camisolão sujo, imundo, antes branco. Todos olhavam Cidinha-Cidoca. As mulheres e as crianças pareciam não ter medo. Os homens, aqueles que tinham conhecido o corpo quente de Cidinha, pareciam assustados com a eterna inércia que havia tomado conta dela. Haviam se acostumado com a loucura dela, a morte era diferente. O Buracão continuava grande e cruel. A nossa pobreza se tornou mais cruel ainda. Havia a morte. Havia a morte!...

Negro Alírio surgiu calmo e triste. Era preciso agir. Não tínhamos como fazer o enterro. Além do mais, a mulher aparecera morta. Não estava doente. Era só doida mansa. O corpo tinha de ser necropsiado. Seria enterrada como indigente.

Maria-Nova ficara impressionada com a morte. Cidinha-Cidoca havia avisado, com palavras, que ia "morrer de não viver". A menina ficou pensando na mulher que seria enterrada como indigente. Afinal todos, ali na mesma miséria, o que eram se não indigentes? Reconstituiu a sua vida e a dos outros. Lembrou da fome que passara desde o momento em que nascera. A mãe sempre contava que a mamadeira dela era água e fubá, muitas vezes sem açúcar. Vingou, cresceu apesar de tudo. Muitas vezes saía para a escola sem comer nada. Muitas vezes se alimentava das sobras que vinham da casa das patroas da mãe e da tia. Dias havia que ficavam sem comer quase nada. O bom era que Tio Totó, Maria-Velha e Mãe Joana eram previdentes. No pedacinho de terra que havia em volta do barraco, plantavam mandioca, milho e verduras. Havia pé de manga, banana e mamão. E na época das frutas a fome era menor. A mãe trabalhava tanto, assim como havia outros que trabalhavam demais. Existiam, sim, os preguiçosos, os malandros, os ladrões, mas entre todos pouca diferença havia. A condição de vida era única, a indigência em grau maior ou menor existia para todos.

"Morrer de não viver", a ameaça de Cidinha-Cidoca pairou por alguns instantes na cabeça de Maria-Nova. Ela começou por desmanchar as mil tranças de seu cabelo como se desmanchasse aquele mortífero pensamento. O coração arfava no peito. Maria-Nova olhou-se no pedaço de espelho. Sentiu-se bonita e triste como a mãe. Fez um carinho no próprio rosto. Não, ela jamais deixaria a vida passar daquela forma tão disforme. Era preciso crer. Vó Rita, Bondade, Negro Alírio não desesperavam nunca. Não pensaria mais na ameaça de Cidinha-Cidoca. Era preciso viver. "Viver do viver". A vida não podia se gastar em miséria e na miséria. Pensou, buscou lá dentro de si o que poderia fazer. Seu coração arfava mais e mais, comprimido lá dentro do peito. O pensamento veio rápido e claro como um raio. Um dia ela iria tudo escrever.

Uma mulher acabava de chegar à favela. Tinha os cabelos curtos, muito curtos, parecidos com os de um homem. Era magra. Vinha andando devagar, cabisbaixa, como se tivesse sobre si um grande peso. Parou, olhou a área que já tinha sido desfavelada e seus olhos cresceram diante do vazio. Quanta gente já tinha ido, meu Deus! Será que seu barraco ainda existia? Será que os seus ainda estavam por ali? O que faria ela agora da vida? Em que trabalharia? Como estariam o pai, a irmã e os filhos? Será que o pai?... Como enfrentaria todos? A mulher andou um pouco mais e fez menção de recuar. Não podia, tinha de ir adiante. Estava ali, era preciso chegar, teve oportunidade de fugir de tudo e de todos e não fez. Afundou os pés na poeira e pisou com força, com quase ódio, mordeu os lábios até sangrar.

Quando Ditinha entrou em casa, um filete de sangue escorria de seus lábios mordidos. Seu pai paralítico e esquelético cochilava na cadeira. A garrafa e a canequinha de pinga estavam ao lado. Recordou os últimos momentos que passara ali. Tudo tão pobre. Agora, apesar da pobreza, havia ordem e limpeza em tudo. Beto estava ajoelhado entre os dois menores ajudando-os a estudar. O primeiro a perceber a chegada dela foi ele. Levantou os olhos e encarou incrédulo a mãe. Um lampejo de medo iluminou o rosto do menino. O que era aquilo nos lábios da mãe? Sangue? Ditinha deu mais um passo. Um sentimento de culpa perturbou-lhe a mente. Como o menino estava envelhecido! Perdera todas as feições de criança. Estava adulto, muito adulto. Meu Deus, que violência! Em poucos meses, sete somente, o menino parece que ganhara anos e anos de vida. Ela também, a prisão, a cadeia era um inferno. Pior que tudo. Os três meninos se levantaram e se jogaram sobre a mãe num desesperado e feliz reencontro.

Ditinha guardava toda a vergonha do mundo dentro de si. Tinha medo do julgamento de todos. Nunca mais encarou o pai. O homem bebia, cochilava, roncava, bebia. Quando deu com Ditinha novamente, sorriu, levantou a mão trêmula e a pousou com dificuldade sobre a cabeça da moça. Parece que ficou quase feliz. Não expandiu muito o sentimento, acenou para a garrafa de cachaça quase vazia.

Na cadeia, durante o tempo todo, Ditinha pensou tanto na volta para casa. Queria sair, ver os seus e começar tudo de novo. Agora estava ali parada atônita, arrependida, quase vazia daquele desejo. Começar como? Começar o quê? Estava livre, solta, mas não era bem isso.

A mulher continuou presa dentro de casa. Tinha vergonha de tudo e de todos. Queria fazer alguma coisa e não sabia como. Liberou o Beto dos afazeres, mas o menino, quando não estava apanhando água para casa ou para os outros, estava sempre por perto a rondar os sentimentos da mãe. Ditinha precisava urgente de algum trabalho, de algum louco fazer. Antes, trabalhava feito desesperada, agora precisava de mais trabalho ainda. Não gostava de pensar. Na cadeia, não parava um instante, ajudava a lavar, a passar, a cozinhar e no que preciso fosse. Quando caía no catre, dormia logo vencida pelo cansaço.

O trabalho para ela, pensou, servia tanto para esquecer, para inebriar, quanto a cachaça servia para o pai. Olhou o homem preso na cadeira de rodas. Lembrou da cadeia em que estivera antes e pensou em tudo o que já fizera. Na cabeça veio a imagem de pintinhos presos numa casca de ovo. A casca do ovo é fina. É o pintinho quem quebra a casca do ovo com o bico, para poder nascer? Ou é a galinha quem quebra? São os dois? Não sabia, nunca tinha observado isto. O que sabia, porém, é que precisava pular fora, precisava quebrar uma casca, não frágil como a de um ovo, mas uma casca dura, a da vida, aquela feita de ferro.

As latas estavam enfileiradas com sede. Tinham a boca aberta para o céu como se pedissem socorro. Deus, escondido atrás das nuvens, olhava impassível a fragilidade de todos. As lavadeiras, com os amontoados de bacias e tinas, com as mãos nas cadeiras, falando ou caladas, esperavam desesperadas a sua vez. A água caía pouco, lenta, preguiçosa, como se fosse um favor. Havia má vontade em tudo. Havia uma má vontade no viver.

Maria-Nova estava ali, olhava a tina que fora antes de Filó Gazogênia. Ela começava a rachar ao sol. As lavadeiras procuravam jogar sobre ela as águas usadas, procuravam mantê-la cheia. Ela resistiu por algum tempo, mas agora um câncer bravo estava a comer-lhe a madeira. O ponto de ligação entre uma tábua e outra apresentava fendas que estavam visivelmente abertas, mesmo que lhe apertassem o arco. A tina lembrava os últimos tempos de Filó Gazogênia. Estava também seca. E foi neste momento que Beto cochichou no ouvido de Maria-Nova bem baixinho, quase em pensamento. Era segredo:

– Mamãe chegou!

A notícia bateu seca e violenta no peito de Maria-Nova. Ditinha voltou!

Quando Dora jogou os bolinhos de batata na gordura quente, o cheiro invadiu todo o barraco. Ela teve uma ânsia de vômitos tão forte que, se não recuasse rápido, vomitaria sobre a panela. Afastou e sentiu o mundo girando ao redor de si. Sorriu feliz, estava grávida. Estava esperando um filho. Alisou a barriga onde Negro Alírio havia plantado a semente. O homem já estava de pé atrás dela, era quase hora de ele sair. Os dois estavam felizes. Havia as preocupações. A saída iminente deles e dos outros daquele local onde já haviam plantado moradia. Dora optara pelas madeiras, já tinham escolhido uma área na cidade onde uma nova favela florescia. Construiriam um outro barraco. Negro Alírio era habilidoso. Ela queria sair logo, Negro Alírio não. Só sairia com a última leva. Queria ver tudo, tim-tim por tim-tim. Quem sabe, com os últimos seria diferente? "Como as pessoas se entregavam fácil", pensava ele. Entretanto, reconhecia que não adiantava resistir, pelo menos naquele momento. Estava definido que a área seria mesmo tomada. Mas era preciso que as pessoas pelo menos falassem. Que todo mundo fizesse uma voz única em coro, que fosse capaz de produzir um som eternamente audível, ressoando os lamentos e os direitos sonegados de todos.

Negro Alírio lembrou de sua infância, lembrou como foi se comprometendo consigo e com os outros. Tinha certeza de que a História um dia seria diferente. Quem sabe o futuro se faria mais rápido, modificando, assustando o presente. Era preciso crer. Era preciso estar alerta, consciente. A fome, o frio, o desamparo, o desespero, não era de poucos e sim de muitos. Não ter nada era a bomba, o perigo que estava armazenado na vida da grande maioria. Caminhando, apertou a marmita contra o peito. Lembrou-se de que, no dia anterior, o patrão lhe havia perguntado sobre os documentos. No final da rua, apareceu o prédio que ele e os outros estavam construindo juntos. Muitos deles ali moravam na favela. Olhou o prédio e pensou no barraco de todos. Alguns dos barracos, sem dúvida, já eram de tijolos, mas isto levava anos, até, para se conseguir. Uma parede hoje, a outra quando puder. Um prédio se erguia da noite para o dia... Eles mesmos construíam. Andou mais rápido. A marmita quente esquentava-lhe a mão. Havia a luta. Havia o amor de Dora. Agora havia uma semente sua plantada no útero-terra da mulher. Ele não tinha remorsos nem preocupação com isso, porque, a cada momento, a cada ato seu, ele não se esquivava, não se furtava de assumir a luta. Ele não era um ladrão da melhoria do mundo.

Os caminhões chegavam de manhã e até tarde da noite levavam as famílias. Todos já estavam mesmo querendo partir. A vida tinha se tornado insuportável. Áreas da favela estavam desertas. Ir de um local a outro havia se tornado um perigo. As pessoas estavam temerosas de si e dos outros. Até o amigo podia ser um inimigo em potencial. Havia o perigo real e o perigo imaginário. As mulheres e as crianças, para buscarem água à noite, só andavam em grupo, e este afazer tomava até altas horas da madrugada. O medo do invisível se apoderou de nós. Não tínhamos certeza de mais nada. Começaram a surgir então as assombrações vistas e vindas do fundo do nosso outro medo. Pessoas nossas queridas que tinham falecido havia tanto tempo, ou mais recentemente, serviam para extravasar nossos temores. Era um medo que talvez viesse de situações mais concretas, como a mudança de um local que de certa forma amávamos e críamos como nosso. Medo por começar outra nova-mesma vida. Medo de que o amanhã ainda fosse pior, muito pior do que hoje. Medo, consciência da nossa fraqueza, de nosso desamparo, de nossa desvalia. Então, Filó Gazogênia, Jorge Balalaika, a mãe de Fuizinha, Cidinha-Cidoca deram de aparecer. Tínhamos de atravessar o campo onde eram realizados os saudosos festivais de bola da favela e lá estavam os nossos mortos amedrontando os já profundos medos nossos.

Beto arrumou as coisas junto da mãe. Lembrou da joia que ia ficar e que já havia sumido no meio da merda. Limpou o avô paralítico e teve medo que ele passasse mal na mudança. Tinha guardado todos os brinquedos dos irmãos. Ditinha tinha arrumado o resto. Junto com Negro Alírio, na madrugada anterior, tinham destelhado o barraco. Tudo que se podia aproveitar ia. A mãe estava deitada junto às trouxas, enrolada e encolhida. Tremia de medo de ser vista. Queria sair no primeiro caminhão. Queria sair como se fosse em fuga. Havia um mês que Ditinha chegara e continuava escondida dentro de casa. Proibira os filhos de contar para alguém. Estava com vergonha e medo. Vergonha de que os outros e os vizinhos a vissem. Mesmo que não indagassem nada, na certa iam querer saber de tudo. Medo. Medo de que Dona Laura aparecesse com os soldados e começasse tudo de novo. Estava mais magra e mais envelhecida ainda, do que quando chegou. Dera de provar a toda hora a pinga do pai. A garrafa de cachaça não estava dando para os dois. Beto tentava convencê-la de que era preciso sair de casa e de que todo mundo havia esquecido o fato. Ditinha recusava. E, quando a irmã veio em casa trazendo algum dinheiro que ganhara com os homens, o sentimento de culpa de Ditinha cresceu fundo. Sem olhar, sem encarar a irmã, disse que, quando mudassem dali, uma nova vida iriam começar. Ela, Ditinha, haveria de voltar a trabalhar. Beto, que já estava grande, também poderia ajudar. A moça calava. Beto, o menino adulto, sabia e acreditava que era preciso lutar.

Os caminhões chegaram às sete e meia e todas as famílias que restavam na favela havia muito tempo já estavam de pé. Era difícil continuar na cama. Desde os bons tempos, as mulheres levantavam bem cedo para a lavagem das roupas, para o apanho da água, para o preparo das pobres marmitas. Os homens também. Uns saíam para o trabalho. Outros, em busca do primeiro gole de cachaça no balcão do armazém de Sô Ladislau, do botequim da Cema ou das bitaquinhas. As crianças maiores acordavam cedo também, trazendo nos olhos e no estômago a desesperada expectativa. Será que hoje tem pão? Os menores, os nenéns brigando com a vida, dando socos no ar exigindo o peito da mãe ou a mamadeira completada com mais água sempre.

Algumas crianças levantavam e tomavam o rumo da escola. Poucos, muito poucos, iam todos os dias. A escola os inibia. Bom, na escola, era a merenda que a gente comia.

Maria-Nova, naquele dia, levantou ainda mais cedo do que de costume. Não se arrumou para ir à escola. Precisava se despedir de Beto, da família de Ditinha. Como seria a saída deles? Como colocariam o avô paralítico no caminhão? E a Ditinha que estivera até agora escondida, presa, dentro de casa? A irmã dela que estava fazendo vida na zona ali perto, viria?

Beto tinha mudado muito. De moleque que era, das bolinhas de gude, dos papagaios empinados no ar, das rasteiras nos colegas menores e das implicâncias com as meninas, ele havia se transformado num companheiro, num amigo. Era um ano mais novo do que ela. Havia saído da escola havia muito tempo, na primeira série ainda, depois de uns três anos de precária frequência. Um dia ele comentou com Maria-Nova que não sabia como ela aguentava a escola. Tudo tão diferente, o prédio, a professora, os colegas, as lições. Bom da escola era só a merenda! Nem o recreio era tão bom assim! Às vezes, tinha brincadeiras que ele não conhecia e os colegas não tinham paciência de ensinar.

Maria-Nova adorava a merenda da escola desde o tempo em que ela era do primário. O que ela mais gostava era de macarronada, porque tinha até queijo ralado em cima. Gostava também quando era pãozinho com doce de leite. Ao morder o pão, o doce chegava até a escorrer um pouco. As crianças faziam fila na porta da cantina para receber o pão. Ela comia o dela correndo e voltava para o final da fila. Tinha de ter o cuidado de, pela segunda vez, não demonstrar muita ansiedade. Quando era Dona Geralda que estava distribuindo, ela ganhava outro sempre, mesmo sendo reconhecida. Se não fosse ela, além de não ganhar, ainda levava uns bons pitos. Maria-Nova não se importava, ficava na espreita. Valia arriscar. Eram muitas crianças e as serventes sempre revezavam na distribuição.

Essas lembranças vieram à cabeça da menina enquanto ela tomava um gole de café ralo e ia ao encontro do Beto da Ditinha. Tinha pão naquela manhã, porém ela não estava com fome. Estava aflita. Como colocariam o velho no caminhão? Como Ditinha sairia de casa? O café desceu quente e rápido pela sua garganta, era preciso abreviar.

Quando chegou ao beco onde morava Ditinha, as mudanças dela e dos outros vizinhos estavam sendo colocadas nos caminhões. Quem não estava mudando ajudava também. Às vezes, era confuso. As mudanças eram iguais, parecidas. Os mesmos trastes, as mesmas velharias, os colchões rasgados, as trouxas encardidas. As latas de plantas, os penicos, as tinas e as bacias. E, quando as coisas eram colocadas trocadas nos caminhões, os donos gritavam avisando: "Ei, Bondade, esta é minha!" Bondade pegava, destrocava e todos, disfarçando a tristeza, riam e riam.

A mudança de Ditinha já estava ajeitada em cima do caminhão. A irmã dela aparecera e ajudara muito. As crianças já tinham subido para a boleia. Davam adeuses e mandavam beijos. O pai vinha sendo carregado por um vizinho. Estava mais esquelético ainda, devia ter o peso de um passarinho. Foi colocado na frente junto do motorista. Beto voltou e pegou a cadeira dele. Colocou lá atrás junto das mudanças. Olhou aflito na direção da fossa. Falou alguma coisa com o motorista e foi até lá. Todos riram. O menino estava apertado, na certa ia mijar ou cagar. Ele demorou um pouco, saiu de lá mais aflito do que antes. Olhou para todos como se procurasse alguém. Bateu com os olhos em Maria-Nova e fez um sinal. A menina veio e se abraçaram chorando, os grandes disfarçaram a emoção. Os dois caminharam em direção à fossa.

O motorista havia descido. Beto empurrou a porta da casinha. Entraram. Todos continuaram mudos, parados. A emoção, a curiosidade haviam deixado todos duros, congelados. Dali a um instante, no minuto seguinte, saíram os dois puxando pela mão uma mulher que vinha cabisbaixa carregando sobre si toda a vergonha e tristeza do mundo. As vozes e as emoções se liberaram. Ditinha! Era Ditinha! A mulher havia voltado! Ela cobriu o rosto com as mãos. Parou! Grandes e crianças que nem estavam acostumados a grandes demonstrações de carinho correram para ela e a pegaram no colo. Andaram com ela ali em volta feito santo em andor. Gritando, chorando, rindo. Que bom, Ditinha havia voltado! Ditinha havia voltado! Depois solenemente colocaram a mulher no caminhão como se colocassem um santo no altar. Todos choravam. O motorista do caminhão enxugou uma lágrima no canto dos olhos. Ditinha, que se mantivera o tempo todo com o rosto entre as mãos, olhou para todos e sorriu. Era o primeiro sorriso desde aquele dia em que escondera no seio a pedra verde-bonita-suave que até parecia macia.

De lá de cima ela viu Vó Rita mais atrás, que guardava distância de todos. Pela primeira vez, Vó Rita tinha chegado a algum lugar sem ser vista, sem ser notada a longa distância. Abanou a mão para Vó Rita, que lhe enviava um grande beijo. Beto e Maria-Nova se olharam em silêncio. O menino deu um pulo rápido e subiu. O caminhão que levava a mudança e a família de Ditinha abriu caminho, seguido pelos outros. Era uma partida, mas muitos ali estavam como se estivessem chegando. A poeira levantou em nuvens tentando alcançar o infinito. Vó Rita olhou o tempo. O céu estava claro e grande. Começou a cantar. O vozeirão de Vó Rita marcava e embalava o nosso caminhar.

A firma construtora mandara avisar que na próxima busca levaria todo o resto de vez. As assistentes sociais contratadas pela empresa estavam começando por passar nos barracos dos que tinham ficado.

A família de Maria-Nova já tinha para onde ir. Logo que começou o desfavelamento, Maria-Velha e Mãe Joana começaram a comprar um lote lá onde Deus tinha pensado iniciar o mundo. Era um lugar de mato e bichos, bem calmo. Era longe. A primeira dificuldade seria vir trabalhar, ganhar a vida. Havia também a escola que era muito distante. Maria-Nova e os irmãos iriam parar de estudar.

Maria-Nova estava assentada na soleira da porta. Lavara a cabeça, estava com os cabelos soltos ao sol para secar. Seu coração desmanchava em dores. Tinha um compromisso com a vida e não podia recuar. Via diante de si os últimos fatos acontecidos, a morte de Cidinha-Cidoca e a ida da família de Ditinha, junto com outras famílias. Foi quando Bondade apareceu com seu andar manso e macio como gato andando sobre o telhado. Olhou a menina e sentiu uma ternura intensa.

Maria-Nova podia ser sua filha. Sentiu-se covarde por repartir com ela tantas dores. Ele podia poupá-la. O cabelo solto e eriçado da menina lembrava juba de leão. Gostava muito de todos na favela. Gostava de Tio Totó, de Maria-Velha, de Mãe Joana, mas pensava em Maria-Nova como filha, caso ele tivesse tido alguma.

Quando Bondade sentou calado ao seu lado, Maria-Nova arredou os cabelos do rosto, como se arredasse moita de capim à procura de caminho. Prendeu os cabelos com um elástico. A juba enfeitou-lhe o alto da cabeça. Estavam muito próximos. Ela contemplou o rosto do homem. Tomou um susto, viu que ele não estava bem. Tinha o rosto amargo e aflito. Quantos anos teria o Bondade? Tentou calcular. Vinte, trinta, quarenta?... Não conseguiu. Ele não tinha no rosto a marca de idade como Maria-Velha e Tio Totó. Mas também não era jovem. Pensou em indagar a idade dele. Calou. Nunca tinha perguntado nada ao Bondade sobre ele próprio. Nem perguntaria. Era um mistério, todo mundo dizia. O homem pegou na mão da menina e fez um carinho. Maria-Nova olhou para as mãos do amigo. Ele tinha os dedos ágeis e finos.

Tivemos notadamente três ou quatro semanas de trégua enquanto as últimas famílias que tinham ficado recebiam a notificação de retirada. Foi um tempo sem nenhuma valia, a não ser o de aumentar a nossa dor. Todo mundo já tinha definido para onde iria. Mesmo aqueles que iriam para lugar algum. Houve pessoas que assumiram oficialmente a mendicância e foram morar na rua.

Maria-Velha e Mãe Joana demonstravam uma confiança que não tinham naquele momento. Era preciso não amargurar mais Tio Totó. Mãe Joana não queria amargurar os filhos. Elas sabiam, porém, que as dificuldades seriam redobradas. Como viriam trazer e buscar as roupas? Como manteriam a freguesia? Mudar a forma de trabalho? Voltar a trabalhar nas casas de famílias? Quem cuidaria de Tio Totó e das crianças? Havia o medo, o desconhecido, os bichos. Havia o enorme desamparo.

A caixa de congada de Tio Totó, pendurada no caibro do telhado, dava a sensação de ruído. Ela deveria ser devolvida ao chefe do congo. Ele, porém, morrera uns meses antes. Tio Totó, que seria então o novo chefe, estava também a despedir-se de todos e da vida. Ia amadurecendo a ideia de morte. Faltavam ainda alguns meses para que partíssemos. Ele tinha a certeza de que não faria aquela viagem. Faria outra muito mais profunda. Estávamos tristes. O tempo ora corria louco, ora tinha eternos minutos.

A "coroa de rei" que ele usava nas festas de congada brilhava pelo efeito do *Kaol* sobre a cômoda de madeira. Era bom brincar de rei. Ele vestia roupas vistosas, bonitas. Todas as festas acabavam sempre na capelinha que os participantes do congo haviam construído em honra de Nossa Senhora do Rosário. A imagem ficava sobre o andor que D. Anália e outras mulheres enfeitavam sempre com papel crepom e seda. Maria-Velha, Mãe Joana e Maria-Nova faziam flores para enfeitar a Santa no mês de outubro. A capela era pequena. Só abria nos meses de festas. Maria-Nova gostava das rezas. Nessas épocas quem tirava o terço eram os chefes das congadas.

Um ano, no aniversário da fundação da capela, um grupo de homens do congo de Sô Noronha foi convidar o padre da paróquia vizinha para celebrar uma missa na capela. O padre respondeu que a missa não podia ser realizada em lugares profanos. Os homens do congo não entenderam o que era profano. Maria-Nova, no dia da festa, rezou com mais fé ainda. Pensou consigo mesma: "o que sagrava a capela não era a água benta nem a bênção do padre que não viera, mas as lágrimas, as dores, o desespero, a esperança, a fé do povo que estava ali reunido."

Nesse dia, tarde da noite, quando ela já estava quase dormindo, escutou longínquos sons da caixa de congada de Tio Totó. Ele ficara lá, era um dos últimos, vinha tocando a caixa pelo caminho. Ela apurou os ouvidos. O batuque vinha de fora e de dentro dela. Vinha de suas raízes, vinha do seu recôndito eu.

Naquela manhã, Tio Totó acordou sentindo uma leveza no corpo. Olhava as duas Marias e Mãe Joana arrumarem as coisas nas trouxas. Estava calado e distante. Soltava, de momentos

em momentos, um fundo suspiro. Chamou Maria-
-Nova e reclamou do frio. Tio Totó tinha o corpo
trêmulo e o olhar vazio. A menina aproximou-se
dele, levantou-o com cuidado e, ao sustê-lo, teve
então a nítida impressão de não estar segurando
um corpo, e sim de estar segurando nada. Buscou
aflita as feições do velho e viu. Ela viu de perto no
rosto, nos olhos, no jeito dele. Ela viu, ela sentiu a
despedida. Maria-Nova sufocou o grito. Não um
grito de medo ou susto. Sufocou o grito que vinha
dela, que vinha dele. Era a morte, era a vida. Era
Tio Totó sendo levado de roldão. Desta vez era
Totó que ficara do lado de lá, era ele que não conseguira fazer a travessia, que não conseguira alcançar
a outra banda do rio.

A morte de Tio Totó nos pegou também de surpresa. Todos nós estávamos vendo que ele
morria dia a dia, porém acreditávamos nele
como eterno.

Maria-Nova ficou com o gosto insosso na vida. Tio
Totó era para ela o grande elo com todos e com
tudo o que ficara para trás. Os cabelos brancos do
velho, o olhar perdido, a desesperança dele, tudo
isto empurrava Maria-Nova para o passo seguinte.
A dor de Tio Totó significava para ela um compromisso de busca de uma melhor forma de vida para
si própria e para os outros. A vida parecia uma
brincadeira de mau gosto. Um esconde-esconde de
um tesouro invisível, mas era preciso tocar para a
frente. Ela sabia que a parada significava recuo, era

como trair a vida. A menina ia à procura, à cata de algo e não queria voltar de mãos vazias. Olhou a tia, Maria-Velha, a mãe e os irmãos, e sentiu que era preciso caminhar junto com eles, arrumando, consertando, melhorando, modificando a vida.

Dora e Negro Alírio estiveram todo o tempo na casa dela durante o velório de Tio Totó. A mulher estava mais bonita ainda. Na barriga o filho estava a pular. Negro Alírio falou com Maria-Velha e com Mãe Joana que gostava muito de todos. Apertou a mão de Maria-Nova. A menina encarou o homem nos olhos e a fundo. Depois olhou o corpo de Tio Totó na mesa estendido. Olhou todos em volta. Olhou novamente Negro Alírio. Quis falar com ele sobre o que ela já tinha decidido. Calou, sabendo, entretanto, que iria adiante como ele. Sim, ela iria adiante. Um dia, agora ela já sabia qual seria a sua ferramenta, a escrita. Um dia, ela haveria de narrar, de fazer soar, de soltar as vozes, os murmúrios, os silêncios, o grito abafado que existia, que era de cada um e de todos. Maria-Nova um dia escreveria a fala de seu povo.

O Buracão continuava maior do que o mundo. A menina passou por ali e fez questão de olhar lá no fundo. Sentiu a umidade que de lá de dentro vinha. Lembrou de Cidinha-Cidoca: a mulher havia morrido, mas era preciso viver. Estava absorta nestes pensamentos quando sentiu alguém batendo levemente em suas costas. Adivinhou, ou melhor, reconheceu o tocar de pontas de dedo. Era o Bondade. O homem tinha na cabeça o chapéu e nas costas o saco de estopa que ele trazia quando ali chegou. Maria-Nova engoliu em seco, entendeu tudo. Assustou-se. Boba que ela era, nunca havia pensado que o desfavelamento também a separaria do Bondade. Nunca pensou que ele pudesse seguir para outras bandas. Já havia tomado o amigo como hóspede constante na sua casa. Pensou, talvez, que ele fosse com ela. Bobagem maior ainda! Na convivência quase diária com o amigo, na presença profunda dele, ela havia esquecido que o Bondade não morava em lugar algum, a não ser no coração de todos.

Ela entendeu, era mais uma despedida. Por um minuto foi como se tudo se desintegrasse dentro dela. Um buraco vazio, maior do que aquele que ela contemplava naquele momento, estava dentro de si. Olhou novamente o amigo. E por entre lágrimas, num quase desespero, ela viu Bondade com seu andar manso e macio partir.

Os últimos barracos na favela pareciam estar ali de teimosos. Eram poucos, pouquíssimos. Lembrou-se dos que já haviam sido derrubados. Lembrou-se também do que contaram sempre Tio Totó e Maria-Velha, de como era ali na época em que chegaram. Muitos becos já haviam desaparecido. Agora, sobre aquela planura, era impossível reconstituir plena e fielmente onde ficavam o barracão do Geraldão, do Zé, da Maria da Luz e dos outros. Um terreno, que antes era reconhecível até de olhos fechados, de um momento para outro perdera todas as suas características. Perdera todo o tortuoso relevo. Os becos de onde saltavam tantas vidas desapareceram como se nunca houvessem existido.

A menina caminhava meio perdida. Trazia um grande temor, um quase pavor no peito, mas era preciso ir lá. No outro dia, ela iria embora da favela, Vó Rita e a Outra também. Iria vencer o medo e o nojo, mas abraçaria Vó Rita. Se visse a Outra procuraria olhar normalmente. A curiosidade que tinha já estava vencida. Andou um pouco até mais adiante. Parou. Ali estava a torneira de cima vazia. Havia sido desativada no dia anterior. Com o coração já cheio de saudades tentou lembrar qual foi a primeira vez que buscou água ou lavou roupa naquele local. Não recordou; bem novinha, neném ainda, era hábito de Mãe Joana e das outras lavadeiras levarem os filhos para a labuta diária. Improvisavam um lugar para eles deitarem e, da tina de lavagem de roupa, podiam observar o filho e correr a lhes dar o peito na hora do choro-fome. Antes, ali borbulhava a vida, agora tudo silêncio. Olhou em frente, a bitaquinha estava com as portas fechadas. Caminhou prendendo o fôlego. O portão de madeira estava mais despencado ainda. Bateu palmas. Encheu o pulmão de ar e a vida de coragem. Chamou quase gritando, quase chorando:

– Vó Rita, Vó Rita...

Escutou a voz de Vó Rita a cantar...

Vó Rita veio abrir o portão e não demonstrou surpresa alguma. Parece que ela esperava a visita da menina, embora houvesse anos que ela e a Outra não eram visitadas por ninguém. Abriu o portão despencado e mais uma tábua caiu no chão. Maria-Nova deu o passo seguinte e quando se percebeu no bequinho escuro, entre a parede e o barranco, ficou feliz consigo mesma. Sentiu-se como se estivesse ultrapassando o próprio limite da vida sem, contudo, morrer. Segurou na mão calosa e quente de Vó Rita e teve vontade de rir, quando, junto com ela, atravessou a soleira da porta e entrou na casa. A Outra, do cômodo ao lado, perguntou, já com a voz bastante rouca, à Vó Rita quem estava ali. Antes que Vó Rita respondesse que era a menina, Maria-Nova respondeu: "Sou eu." Sentiu quando a amiga de Vó Rita, andando com grande dificuldade, atravessou do outro lado por dentro em direção à bitaquinha. Esta era sua oportunidade, podia olhar. Não sentiu medo nem curiosidade. Não olhou.

Maria-Nova estava pensando muito no que seria a vida das duas e onde iriam morar. A Outra não tinha parente algum que se importasse com ela. O marido havia fugido dela havia anos. E nos últimos tempos o filho também. Já estavam mesmo vivendo da caridade alheia. Vó Rita saía à rua, ganhava alguma coisa e trazia. Bondade também, naqueles dias de saídas misteriosas dele da favela, sempre trazia mantimentos para as duas. Agora Bondade partira. Elas também iriam para longe. A menina estava preocupada e se sentia impotente para fazer alguma coisa.

Vó Rita estava sentada num tamborete de frente para a menina a falar, a falar. Sua boca se escancarava em risos, parecia que ia cantar. Foi até bom a menina ter aparecido. Que levasse para Maria-Velha e para Mãe Joana com as crianças um abraço maior que o mundo. Um abraço de saudade e de muito boa sorte. Estavam todos se separando, mas ela não se esqueceria de ninguém e em todos estaria a pensar. Que a menina sossegasse, continuasse a vida, que lutasse, que fosse lá fundo do coração dela própria e dos outros, mas sem nunca desesperar.

A amiga estava, sim, cada vez mais piorzinha, já pouco enxergava e na garganta a voz estava quase a faltar, a doença ia esparramando por todo o corpo. Agora iriam para a Colônia. Ela tinha aceitado, talvez até porque não tivesse outra saída. E Vó Rita iria com ela. No outro dia, cedinho, a ambulância passaria por lá. Os médicos da Saúde Pública haviam ido lá no dia anterior e consultado as duas. A amiga estava muito ruim. Eles falaram que o mal foi ela não ter se cuidado desde o princípio, ter se isolado tanto. Reconheciam que a doença trazia medo, que todo mundo se afastava, mas que, durante todo aquele tempo, ela não devia ter se recusado a sair de casa até para ir ao médico.

– Disseram também que a minha saúde está boa, com exceção do coração que está cada vez maior. Nem incomoda, não sinto nada. Então me perguntaram, já que eu estava acostumada a cuidar dela, se eu não queria ir trabalhar na Colônia São Lázaro com eles. Vou, menina, eu vou, tenho a amiga que precisa de mim e lá tem outros que eu posso ajudar.

Maria-Nova estava com o coração cheio de esperanças, apesar de tudo. Apesar das dores, dos sofrimentos, da fome, da miséria, apesar dos preconceitos de que eles eram vítimas e que eles infligiam a si próprios e aos outros; apesar do Mal de Hansen que existia no corpo da Outra e que mais existia no coração de muitos homens, havia o amor de Vó Rita que era o maior e que era para todos.

Estava feliz. Havia vencido o medo, o asco que sentia da amiga de Vó Rita. Levantou-se, abraçou e beijou Vó Rita como se estivesse abraçando e beijando a amiga dela também.

A amiga de Vó Rita chamou por ela de dentro da bitaquinha. A menina saiu. Cá fora era um tempo de quase meio-dia. O sol estava agarrado lá no alto do céu.

Naquele dia Maria-Nova levantara cedo, visitara Vó Rita e andara muito para lá e para cá pisando e repisando um chão que tanto tempo fora seu. Os tratores estavam prontos para o trabalho do dia seguinte que seria eliminar o Buracão e aplainar a área em que estavam os últimos barracos. A tarde chegou amena; Maria-Nova contemplou durante muito tempo o pôr do sol. Teve vontade de ler e escrever alguma coisa, mas já tinha guardado os livros e os cadernos num caixote que sempre lhe servira de cadeira ou mesa quando ela se assentava no chão. A noite veio caindo lenta e carregada de pontos luminosos lá no céu. Aquela seria a sua última noite na favela. As coisas já estavam todas juntas. Tinha o corpo moído de cansaço. A tia e a mãe entregaram as últimas trouxas de roupa. Não haviam confirmado nem dispensado a freguesia. Havia o medo, o incerto, o imprevisível do amanhã. Mas havia a tenacidade, a força, o desejo de vida.

Maria-Nova tinha feito no dia anterior as provas finais, se despedido dos professores, dos colegas e amigos. Não voltaria no próximo ano, mas voltaria a estudar um dia.

Sua casa, um barracão caiado de branco, montava sentinela na noite, numa área quase vazia. Maria Nova deitou sobre o colchão rasgado, de barriga para cima. As estrelas salientes passavam pelos vãos das poucas telhas. Pela janelinha aberta a lua pousava em cima do rosto da menina. Maria-Nova teve a impressão de que, se erguesse os braços, tocaria o céu.

Dormiu. E foi Vó Rita que veio no seu último sono--sonho ali na favela.

Vó Rita entrou devagarinho no quarto. De repente. Calada. Ela que não tinha a voz calada nunca, pois, se não estava falando, cantando estava; que nunca chegava de repente, pois se sabia de longe que Vó Rita estava chegando. E eis que ela chegou pé ante pé. Grandona, gorda, desajeitada. Abriu a blusa e através do negro luzidio e transparente de sua pele, via-se lá dentro um coração enorme.

E a cada batida do coração de Vó Rita nasciam os homens.

Todos os homens: negros, brancos, azuis, amarelos, cor-de-rosa, descoloridos...

Do coração enorme, grande de Vó Rita, nascia a humanidade inteira.

27 de julho de 1986.

(versão revista, julho de 2013)

POSFÁCIO: A FORÇA DAS PALAVRAS, DA MEMÓRIA E DA NARRATIVA

Simone Pereira Schmidt

O romance de Conceição Evaristo, *Becos da memória*, escrito nos anos 1980, foi publicado pela primeira vez apenas em 2006. Este significativo intervalo entre o momento de sua escritura e o de sua publicação é por si só revelador das imensas dificuldades que enfrentam, em geral, aqueles que, vindos de lugares distantes dos centros — sejam eles geográficos, sociais, econômicos —, lutam para transpor essas barreiras. Felizmente, agora, *Becos da memória* ganha nova e merecida edição, graças ao reconhecimento sempre maior que vem ganhando do público leitor, brasileiro em primeiro lugar, mas também de outros tantos países em que sua obra vem sendo divulgada.

A narrativa deste belo romance que temos oportunidade de reencontrar, nesta nova edição, começa por celebrar aqueles que, com suas vidas, constituíram a matéria de que são povoados os 'becos' da memória viva que aqui se transforma em escrita: "[...] Homens, mulheres, crianças que amontoaram dentro de mim, como amontoados eram os barracos da minha favela". Nesta espécie de pórtico ao relato, a autora nos apresenta aos personagens de forma ampla, como a compor um quadro que se irá detalhar em cores e traços na continuidade da narrativa. Assim, o romance inicia deixando claro quem são os sujeitos que pretende representar. Ao evocar, no texto que abre a narrativa, as "lavadeiras que madrugavam os varais com roupas ao sol", o pacto da representação é assumido pela autora: a escrita, como afirmou Donna Haraway (1994), é um jogo mortalmente sério, porque o que está em questão é justamente a possibilidade (ou a negação) da representação. A quem se representa, e como se representa, são, assim, questões cruciais para o discurso literário, visto, aqui, numa imagem que nos remete a Bakhtin (1981), como uma arena onde disputam constantemente as diversas forças políticas em que se constituem os grupos sociais. Especialmente num país como o Brasil, onde a questão da representação se mostra ainda tão problemática. Dar corpo à memória dos moradores da favela, caminhando em sentido contrário ao dos estereótipos que se colam à pele dos subalternos em nossa sociedade, é, portanto, uma estratégia de grande impacto político e cultural, já que permite ao leitor brasileiro, desamparado de uma tradição de representação das diferenças sociais e raciais em nossa cultura, aprender, como sugere Regina Dalcastagnè (2008), "um pouco do que é ser negro no Brasil", e do que "significa ser branco em uma sociedade racista".

Para a construção de seu romance, a autora tomará como mote a estrutura sinuosa e múltipla dos becos da favela, que, percorridos pela narradora, mostram-se, a um só tempo, iguais e diversos, múltiplos, tortuosos, promissores, cheios de histórias de vida. A narrativa que a partir de então se desdobra é feita de pequenos relatos, breves histórias de vida de muitos personagens, homens, mulheres e crianças da favela. Nessas histórias, vemos posta em prática a perspectiva benjaminiana de história, que privilegia o fragmento sobre a totalidade, a alegoria sobre o símbolo, dentro de uma compreensão mais profunda de que a história, tradicionalmente divulgada na perspectiva dos vencedores, pode ser escrita a contrapelo, dando vez a versões, mínimas, fragmentárias de vidas comuns, nem heroicas nem exemplares, de pequenas vidas de personagens em cujos percursos se conjugam derrotas advindas de sua condição social, racial e de gênero. É nesse sentido que o trabalho das lavadeiras ocupa posição central na narrativa, sintetizando a atividade incansável dos corpos das mulheres da favela, em constante esforço de gerar e garantir a vida, enfrentando pobreza e violência. Corpos que atuam, por vezes, como único capital simbólico dos sujeitos negros, como assinalou Stuart Hall, identificando nos mesmos verdadeiras "telas de representação" de sua experiência. São todas personagens femininas que atualizam, em suas histórias de vida e em seus próprios corpos, uma relação repetidamente evocada na narrativa: a aproximação entre senzala e favela.

Esta relação, senzala-favela, se atualiza no romance de duas formas. Primeiramente, na memória da escravidão, frequentemente relatada pelos mais-velhos, em histórias nas quais rememoram sua infância passada em fazendas, senzalas, plantações e enfrentamentos com os sinhôs. Num segundo plano, o mais vívido no romance, a relação da senzala com a favela atualiza-se na geografia dos becos onde se vivencia a condição subalterna dos seus moradores. Através deste fio que une o passado colonial e escravocrata com as profundas desigualdades vivenciadas na pele pelos descendentes dos escravos nas cidades de hoje, uma outra história, a literatura que presentifica esta perturbadora relação, senzala e favela, permite-nos encontrar, como afirma Eduardo de Assis Duarte (2009), "uma história de superação vinda dos antepassados, a partir de uma perspectiva identificada com a visão do mundo e com os valores do Atlântico Negro". No corpo das mulheres negras, cujas histórias se destacam na profusão de narrativas que compõe o romance, atualiza-se esta ligação entre o passado colonial e o presente povoado de heranças coloniais por resolver.

Enquanto se desenrolam as histórias dos personagens, a grande tensão que une todas as suas experiências é o crescente processo de desfavelamento, que culminará por expulsá-los a todos do único lugar a que pertencem, e que, supostamente, também lhes pertencia. A violência extrema da destruição da favela sinaliza, dentro da narrativa, a reiterada vitória dos mais fortes em nossa sociedade, fenômeno que aponta para o "enigma da desigualdade" explicitado por Osmundo Pinho (2009), que entrelaça, de forma continuada em nossa história, os índices que associam pertencimento racial e de classe.

Entretanto, contra o poder de morte e destruição dos tratores que avançam sobre os barracos e seus moradores, encontramos a força da narrativa, pois é a menina Maria-Nova, com seus olhos e ouvidos atentos às histórias dos mais-velhos, com a sua ligação a todas as experiências compartilhadas nas dores e alegrias da favela, quem irá se incumbir de reter na memória a vida ameaçada, e tomará para si a tarefa de um dia escrevê-la. O romance se encerra, assim, num movimento circular que retoma, em chave metanarrativa, o intuito da própria escritora, como percebemos na passagem em que, assistindo na escola a uma aula sobre a "libertação dos escravos", a menina se inquieta com o que lê no livro. Pensa nos personagens de sua favela, os mais velhos, as mulheres, as crianças que, em sua maioria, não vão à escola, "uma história viva que nascia das pessoas, do hoje, do agora". Naquele instante, a menina decide: "quem sabe escreveria esta história um dia? Quem sabe passaria para o papel o que estava escrito, cravado e gravado no seu corpo, na sua alma, na sua mente?".

A força das palavras, da memória e da narrativa são as armas encontradas por Maria-Nova para seguir sua luta pela vida, mesmo depois da morte de muitos personagens e da destruição da favela. Graças à sua iniciativa, o fim que aqui se impõe pode conduzi-la, e também a nós, a um outro começo.

Referências

BAKHTIN, Mikhail. *Problemas da poética de Dostoiévski*. Rio de Janeiro: Forense-Universitária, 1981.
BENJAMIN, Walter. "Teses sobre a Filosofia da História". In: _____. *Sobre arte, técnica, linguagem e política*. Lisboa: Relógio D'Água, 1993.

DALCASTAGNÈ, Regina. "quando o preconceito se faz silêncio: relações raciais na literatura brasileira contemporânea". *Gragoatá*, n. 24. Niterói, 1 sem. 2008, p. 203-219.

DUARTE, Eduardo. "Na cartografia do romance afro-brasileiro, *Um defeito de cor*, de Ana Maria Gonçalves". In: TORNQUIST, Carmen S. et. AL. (org). *Leituras de resistência*: corpo, violência e poder. V. I. Florianópolis: Mulheres, 2009, p. 325-348.

HALL, Stuart. "Que 'negro' é esse na cultura negra?". In: _____. *Da diáspora*: identidades e mediações culturais. Belo Horizonte: UFMG, 2003, p. 335-349.

HARAWAY, Donna. "Um manifesto para os *cyborgs*: ciência, tecnologia e feminismo socialista na década de 80". In: HOLLANDA, Heloísa Buarque de (org). *Tendências e impasses*: o feminismo como crítica da cultura. Rio de Janeiro: Rocco, 1994, p. 243-288.

PINHO, Osmundo. "O enigma da desigualdade". In TORNQUIST, Carmen S. et. al. (org). *Leituras de resistência*: corpo, violência e poder. V. I. Florianópolis: Mulheres, 2009, p. 367-388.

POSFÁCIO: COSTURANDO UMA COLCHA DE MEMÓRIAS

Maria Nazareth Soares Fonseca

Michael Pollak, ao abordar estudos no campo da história oral, destaca a importância das memórias subterrâneas, "que, como parte integrante das culturas minoritárias e dominadas, se opõem à 'Memória oficial', no caso da memória nacional" (POLLAK, 1989). As memórias subterrâneas, que constroem um trabalho de subversão mesmo delegadas ao silêncio, podem provocar, ao aflorarem, intensos ruídos na transmissão oficial dos fatos ou na forma como o social é construído a partir do represamento da experiência de pessoas que ocupam lugares periféricos ao plano arquitetônico dos grandes centros. O silêncio imposto aos marginalizados, àqueles que ficam esquecidos em lugares de visibilidade pautada na violência e na degradação, consegue, então, ser ouvido através de ações que vasculham o que foi ocultado ou o que registra a fala dos que vivem vidas tão pequenas, que se perdem na premência do dia a dia.

As memórias subterrâneas, ao emergirem em espaços delineados pelo poder da escrita, rasuram a cena dos grandes feitos e permitem a composição de outras histórias nascidas, como acentua Pollak (1989), da experiência da periferia e da marginalidade. O movimento que caracteriza o afloramento das memórias confinadas ao silêncio instiga a escuta das vozes que emanam do corpo dos espoliados, dos indivíduos acossados pela dor da pobreza extrema.

O sujeito que assume a ação de narrar o que expressam essas vozes excluídas sabe que o registro dos sofrimentos dos miseráveis expõe os cortes constantes no próprio corpo e as feridas difíceis de serem cicatrizadas. Para salvar do esquecimento as histórias de vida mergulhadas na pobreza extrema e no abandono, o escritor, fazendo-se sujeito participante, assume narrar as histórias dos lugares degradados como uma forma de luta contra a miséria, deslocando "o prazer meramente contemplativo", como diz Walter Benjamin, (BENJAMIN, 1987) para uma atitude política que se concretiza na maneira como a escrita procura vasculhar as vidas dos que lutam por sobreviver em condições intensamente desfavoráveis.

Um caminho marcado pela observação das mazelas de um projeto urbano que não consegue solucionar a demanda dos excluídos, das periferias dos grandes centros e dos bolsões de miséria que colocam em xeque o ranço positivista de *slogans* como "ordem e progresso" é o que é construído pela voz narrativa no livro *Becos da memória*, de Conceição Evaristo. A vivência da penúria afina alguns instrumentos narrativos para expor as vidas subterrâneas, minadas pela carência intensa de melhores condições de vida. Da pobreza vivida muitas vezes com gestos de brandura, a narradora vai retirando dados de uma história maior, a da favela, um aglomerado de barracos cambiantes e de "doces figuras tenebrosas" que povoam de mistério o imaginário de crianças que, cedo, precisam assumir as obrigações impostas pela vida dura. O romance recupera as experiências de pessoas expostas à dura pobreza, que, contudo, não arrefecem o desejo de continuar vivendo. Algumas experiências resgatadas pelo livro mostram que o desejo de viver pode gerar o de narrar: "Um dia, e agora ela já sabia qual seria a sua ferramenta, a escrita".

Escrever é a ferramenta utilizada para recompor o vasto painel de lembranças calçadas na "experiência da pobreza", vivida por quem soube observar, com olhos atentos e condoídos, os becos de uma coletividade: bêbados, putas, malandros, muitas crianças vadias e mulheres sofridas. A menina de olhar atento retém as imagens que, mais tarde, já como mulher, irão compor o plano no qual as vidas subterrâneas emergem para expor a sua experiência. Os fatos recordados são acolhidos com a generosidade de quem pôde observar a vida de excluídos, mas com o cuidado de registrar os acontecimentos de um lugar que também preserva os sonhadores e os contadores de histórias. A personagem Bondade, o contador de histórias tristes, contadas "com lágrimas nos olhos", e de outras alegres, que o fazem assumir a alegria das crianças, exercita o sentimento de compaixão pelo outro, no acolhimento ao que sofre a dureza da fome ou da doença. Negro Alírio ajuda os companheiros a decifrar os deveres que as ordens, na fábrica de tecido, dispunham para os operários. Vó Rita distribui com os outros seu coração generoso. Vó Rita dormia embolada com a Outra, perseguida pelo medo e o pavor das crianças que espreitavam o "portão velho de madeira, entre o barraco e o barranco".

No universo de vidas tão sofridas e de histórias construídas de migalhas, as ações impulsionadas pelo amor formam um lastro que se assenta no cuidado com os que sofrem a premência da fome ou o horror da violência e da doença que mina o corpo de tuberculose, de lepra. A Vó Rita, Bondade e o Negro Alírio pertencem à saga de pessoas solidárias, preocupadas com o outro. Mas o amor é também responsável pelo desejo de compor um livro com aquelas vidas que driblam a fome e se alegram como as bandeirinhas que adornam o campo de terra solta, transformando "num redemoinho de pó" a cada chute dado pelos jogadores: operários, vagabundos, marginais, "em hora de gozo e lazer". É pelo olhar da outrora menina que o leitor pode penetrar nos becos escuros da favela de uma outra época, ainda não invadida pela violência do tráfico, embora tivesse de conviver com os horrores da miséria, a grande doença que mina os corpos, a saúde e a esperança. Não é por acaso que o livro se estrutura a partir de contrapontos que permitem que os fatos acontecidos em diferentes períodos venham à tona sem que se perca a intenção de registrar, quase como num relato de sabor etnológico, as mutações que impedem o desenrolar das histórias não sujeitas a grandes sobressaltos. A miséria extrema que impele a luta diária pela sobrevivência convive com as políticas de desfavelamento que expulsam moradores miseráveis para lugares longínquos em que a vida será, certamente, ainda mais difícil. O Buracão ameaça os moradores e impede que a vida possa ser o que fora um dia, quando, em torno de alguns barracos, se "plantavam mandioca, milho e verduras" que ajudavam a expulsar a fome. O Buracão faz-se metáfora de uma grande boca insaciável que engole as vítimas e, ao mesmo tempo, as expulsa para longe. O grande buraco inverte a imagem do útero acolhedor, ou melhor, recupera-a para imprimir-lhe sentidos relacionados com a morte: morte da favela, morte das vítimas sugadas por ele, morte da esperança de um espaço mais aprazível. A "imponente cratera" seduziu para a morte Cidinha-Cidoca, que não suportou os apelos do grande colo, cujo fundo se amaciava com plantas e lama e convidava a um sono de que não se acorda jamais. O Buracão ratifica, na narrativa, os sinais de morte que a pobreza exibe todos os dias e também a certeza de que a expulsão para lugares mais distantes, talvez mais pobres ainda, concretizava-se com a presença dos caminhões, que "chegavam de manhã e até tarde da noite levavam as famílias". A morte anunciada pela miséria, pelo Buracão e pelos desmoronamentos provocados pela chuva toma forma na expulsão dos miseráveis, pois a extrema pobreza os acompanharia na nova morada.

Mas a favela, o lugar em que viveram Vó Rita, Bondade, Negro Alírio, Maria-Velha, Maria-Nova, que gostava de colecionar selos e as histórias que ouvia, e tantos outros personagens, ficará eternizada pela ferramenta que propiciou "soltar as vozes, os murmúrios, os silêncios, o grito abafado que era de cada um". A escrita dá contornos mais humanos a esse lugar e a narrativa, feita de pedaços de vidas mal vividas, desprovidas de quaisquer bens e expulsas dos barracos precários aos poucos derrubados pelos tratores poderosos, expõe memórias do cotidiano de pessoas comuns. O espaço reconstruído pela narrativa destaca, sobretudo, o sofrimento, porque esse é o estigma da vida dos moradores da favela, dos heróis obscuros de uma outra história que se desenvolve sempre acossada pela pobreza e pelo abandono. Os tratores que destroem a favela, diferentemente de outras máquinas poderosas que aceleram o desenvolvimento, mas também aumentam as hordas de desempregados diariamente expulsos dos campos de trabalho, também emblematizam a morte sempre presente no cotidiano dos excluídos, concretamente marcada em muitos episódios que a narradora vai recolhendo com intensa ternura.

O contraponto privilegiado pelo romance procura dar conta da fragmentação do cenário em que as histórias se passam. A fragmentação faz-se linguagem de um espaço social que não conhece as grandes avenidas, as ruas abertas em obediência a um plano arquitetônico. A fragmentação do relato compõe, de certa forma, uma estética em rede, acentuada pelos elos que vão se formando à revelia de uma linha mestra, tal como os barracos que nascem procurando ocupar os parcos espaços ainda não habitados. Não é o plano, a planta-baixa que define o processo narrativo privilegiado. É a necessidade de resgatar as histórias que as lembranças vão recompondo, muitas vezes associando pedaços de umas ao que sobra de outras. E se a narrativa guarda muito da visão amorosa de quem resgata as lembranças, os casos tristes e as cenas de alegria, nela também se registram palavras de ordem que, ditas por algumas personagens, revelam a certeza de que, ao serem narradas as histórias de um tempo passado, a intenção de denúncia não se omite, ainda que, por vezes, assinale uma ruptura com o relato de vidas que expõe.

Assegura-nos Walter Benjamin que "a experiência que passa de pessoa a pessoa é a fonte que recorrem os narradores" (BENJAMIN, 1987). Lamentando a morte da arte de narrar, o teórico alemão a considera expulsa das sociedades modernas e rarefeita até mesmo em enclaves étnicos de predominância oral, com a intromissão dos aparelhos que, sedutoramente, silenciam as conversas e impõem sujeição aos corpos. O mundo da experiência comunicável fica cada vez mais pobre porque se perde a sua dimensão utilitária e os contadores de história são substituídos por quem não consegue falar exemplarmente sobre suas preocupações mais importantes. Pensando num mundo em crise, o teórico alemão fixou-se no cenário devastado pela Segunda Guerra Mundial. Prisioneiro do lugar onde emitiu a sua melancólica visão sobre a morte da narrativa de experiência, não pôde registrar os espaços que, por injunções da própria modernidade, continuam a preservá-la.

Em *Becos da memória*, Conceição Evaristo procura restaurar esses lugares em que a palavra viva circula, mesclada a outras linguagens que, ao mesmo tempo em que desvelam as "memórias subterrâneas", expõem-nas em suportes acessíveis somente aos que podem ler. Inscritas nesse conflito, as memórias recuperam cenas de vidas que preservam sentimentos de amor, afeto e compaixão. Sentimentos que, aos poucos, vão rareando nas relações entre os homens e sufocando brutalmente os restos de experiência comunicável que o romance valoriza. Vó Rita, com seu coração enorme, torna-se emblema de uma tradição de convivência harmoniosa que não se desfaz com a pobreza extrema, nem com a exclusão.

Talvez seja essa a maior lição que as memórias resgatadas por Conceição Evaristo queiram nos transmitir.

Referências

POLLAK, Michael. Memória, esquecimento, silêncio. *Estudos históricos*, v. 2, n.3. Rio de Janeiro, 1989.

BENJAMIN, Walter. O narrador: considerações sobre a obra de Nikolai Leskov. In: *Walter Benjamin*: obras escolhidas – magia e técnica, arte e política. Traduzido por Sérgio Paulo Rouanet, 3. Ed. São Paulo: Brasiliense, 1987, p. 197-221.

BENJAMIN, Walter. Experiência e pobreza. In: *Walter Benjamin*: obras escolhidas – magia e técnica, arte e política. Traduzido por Sérgio Paulo Rouanet, 3. Ed. São Paulo: Brasiliense, 1987, p. 130.

Este livro foi impresso em março de 2024,
na Gráfica Eskenazi, em São Paulo.
O papel de miolo é o pólen natural 80g/m²
e o de capa é o cartão 250g/m²